D1089771

Drive

Du même auteur
chez le même éditeur

Chester Himes : Une vie

James Sallis

Drive

Traduit de l'anglais (États-Unis)
par Isabelle Maillet

Collection dirigée par
François Guérif

Rivages/noir

Retrouvez l'ensemble des parutions
des Éditions Payot & Rivages sur

www.payot-rivages.fr

Titre original : *Drive* (Poisoned Pen Press)

© 2005, James Sallis
© 2006, Éditions Payot & Rivages
pour la traduction française
106, bd Saint-Germain – 75006 Paris

ISBN 10 : 2-7436-1572-9
IBSN 13 : 978-2-7436-1572-7
ISSN : 0764-7786

Pour Ed McBain, Donald Westlake et Larry Block, trois grands écrivains américains.

1

Bien plus tard, assis par terre, adossé à une cloison dans un Motel 6 à la sortie de Phoenix, les yeux fixés sur la mare de sang qui se répandait vers lui, le Chauffeur se demanderait s'il n'avait pas commis une terrible erreur. Encore plus tard, bien sûr, il n'aurait plus le moindre doute. En attendant, le Chauffeur était dans l'instant, comme on dit. Et cet instant incluait le sang qui se répandait vers lui, la pression de la lumière tardive de l'aube sur les fenêtres et la porte, la rumeur de la circulation en provenance de l'autoroute proche, l'écho de sanglots dans la chambre voisine.

Le sang était celui de la femme, celle qui se faisait appeler Blanche et prétendait venir de La Nouvelle-Orléans quand tout en elle, sauf l'accent simulé, trahissait la côte Est – Bensonhurst, peut-être, ou les confins de Brooklyn. Ses épaules étaient visibles sur le seuil de la salle de bains. Il ne restait pas grand-chose de sa tête, il le savait.

Ils occupaient la chambre 212, au deuxième étage, où les sols étaient suffisamment horizontaux pour que la mare de sang progresse lentement, effleurant les contours du corps de Blanche comme il les avait lui-même effleurés, avançant vers lui tel un doigt accusateur. Son bras le mettait au supplice. S'il avait bien une autre certitude, c'était celle-là : d'ici peu, il allait déguster.

Soudain, le Chauffeur s'aperçut qu'il retenait son souffle. Guettant le hurlement des sirènes, les exclamations d'une foule dans l'escalier ou sur le parking en contrebas, des piétinements dans le couloir.

Une nouvelle fois, il balaya la pièce du regard. Près de la porte entrebâillée gisait un autre corps, celui d'un maigrichon assez grand, peut-être un albinos. Curieusement, il n'y avait pas beaucoup de sang dans ce coin-là. Mais peut-être n'était-ce qu'une question de temps. Peut-être, au moment où on soulèverait la dépouille pour la retourner, tout le sang giclerait-il d'un coup. Pour le moment, seule la lumière terne du néon et des plafonniers se reflétait sur la peau pâle.

Le corps du second type se trouvait à l'intérieur de la salle de bains, coincé dans l'encadrement de la fenêtre par laquelle il avait voulu s'introduire. À l'endroit où le Chauffeur l'avait découvert, incapable d'avancer ou de reculer. Celui-ci était armé d'un fusil. Le sang jailli de sa gorge s'était accumulé dans le lavabo en dessous, formant un épais pudding. Le Chauffeur se servait d'un coupe-chou pour se raser. Hérité de son père. Chaque fois qu'il prenait une chambre quelque part, il commençait par sortir ses affaires de toilette. Le rasoir était donc là, près du lavabo, disposé soigneusement entre la brosse à dents et le peigne.

Jusqu'ici, ils n'étaient que deux à s'être manifestés.

Au premier, le type coincé dans la fenêtre, le Chauffeur avait emprunté le fusil qui avait abattu le second – un Remington 870 dont le canon scié avait à peu près la longueur du magasin, soit dans les trente-cinq centimètres. Il avait approfondi sa connaissance des armes à feu en bossant sur un mauvais remake de *Mad Max*. Le Chauffeur prêtait toujours attention aux détails.

À présent, il attendait le moment où résonneraient des pas précipités, des sirènes, des claquements de portes.

Mais il n'entendait que le goutte-à-goutte du robinet de la baignoire dans la salle de bains. La femme toujours en train de sangloter dans la chambre voisine. Et aussi un autre son. Une sorte de grattement, de frottement…

Il lui fallut un certain temps pour se rendre compte qu'il s'agissait de son bras, dont les soubresauts involontaires amenaient les phalanges à râper le sol, les doigts à le griffer et à le frapper à chaque contraction de la main.

Enfin, le silence revint. Son bras ne lui transmettait plus rien, ni sensation ni mouvement. Il se contentait de pendre, détaché de lui, indépendant, comme une chaussure abandonnée. Le Chauffeur rassembla sa volonté pour lui ordonner de bouger. En vain.

Bon, il s'en préoccuperait plus tard.

De nouveau, il tourna la tête vers la porte entrouverte. Peut-être que c'est tout, songea-t-il. Peut-être que personne d'autre ne viendra, que tout est fini. Peut-être que, pour le moment, trois morts suffisent.

2

Le Chauffeur n'était pas un fan de lecture. De cinéma non plus, à vrai dire. Il avait bien aimé *La Femme aux cigarettes*, sauf que ça remontait à loin. Il n'allait jamais voir les films dans lesquels il avait piloté, mais parfois, après avoir traîné avec les scénaristes – en général, les autres types sur le plateau qui n'avaient pas grand-chose à faire de la journée –, il lisait les livres dont ils étaient tirés. Allez savoir pourquoi.

Le dernier en date était un de ces romans irlandais où les personnages se retrouvent entraînés dans d'épouvantables bagarres avec leur père, se déplacent beaucoup à vélo et, de temps à autre, font sauter un truc. Sur la photo de couverture, l'auteur plissait les yeux comme une créature récemment ramenée des profondeurs souterraines à la lumière du jour. Le Chauffeur avait déniché l'ouvrage chez un bouquiniste de Pico, où il s'était demandé ce qui sentait le plus le renfermé, les livres ou le pull de la vieille propriétaire. À moins que ce ne soit ladite propriétaire elle-même. Les vieux dégagent cette odeur-là, parfois. Il avait payé un dollar dix et il était parti.

Pour autant qu'il puisse en juger, l'adaptation n'avait pas grand rapport avec le livre.

Le Chauffeur avait tourné des scènes spectaculaires après que le héros avait fui l'Irlande du Nord pour se rendre dans le Nouveau Monde (c'était d'ailleurs le titre du livre, *Le Nouveau Monde de Sean*), apportant dans ses bagages plusieurs siècles de colère et de rancœur. Dans le roman, Sean allait à Boston. Les types de la prod' avaient situé l'action à Los Angeles. Pourquoi pas ? On y circulait plus facilement. Et le climat posait moins de problèmes.

Tout en sirotant la horchata achetée à l'épicerie du coin, le Chauffeur jeta un coup d'œil au téléviseur, où un Jim Rockford au débit toujours aussi rapide faisait ses habituelles caracolades verbales. Puis il reporta son attention sur la page et lut encore quelques lignes jusqu'au moment où il tomba sur le terme « désuétude ». D'où il sortait, ce mot-là ? Il referma le bouquin et le posa sur la table de nuit. Où il en rejoignit d'autres signés Richard Stark, George Pelecanos, John Shannon et Gary Phillips, tous achetés dans la même boutique sur Pico où, heure après heure, des dames de tous les âges arrivaient les bras chargés de romans sentimentaux et policiers qu'elles échangeaient à raison de deux contre un.

Désuétude.

Au Denny's, à deux rues de là, le Chauffeur introduisit des pièces de monnaie dans l'appareil et composa le numéro de Manny Gilden tout en regardant les allées et venues des clients du restaurant. C'était un établissement populaire – fréquenté surtout par des familles et aussi par des gens dont vous seriez tenté de vous écarter d'un cran ou deux s'ils s'asseyaient près de vous –, situé dans un quartier où les slogans sur les T-shirts et les cartes de vœux vendus au drugstore avaient toutes les chances d'être rédigés en espagnol.

Peut-être y prendrait-il son petit-déjeuner plus tard, pourquoi pas.

Il avait rencontré Manny sur le tournage d'un film de science-fiction dans lequel, en plein cœur d'une des nombreuses versions de l'Amérique post-apocalypse, il pilotait une El Dorado blindée comme un tank. Sans qu'il y ait une grande différence, selon lui, entre un tank et cette voiture. Tous deux avaient à peu près la même tenue de route.

Manny était l'un des écrivains les plus en vue à Hollywood. On disait qu'il avait amassé des millions. Et c'était peut-être vrai, qui sait ? Mais il vivait toujours dans un bungalow décrépit à la sortie de la ville en direction de Santa Monica, portait toujours des T-shirts et des pantalons de toile aux revers élimés, assortis parfois, lors d'occasions officielles comme une de ces réunions si chères à Hollywood, d'une vieille veste sport en velours usée pratiquement jusqu'à la trame. Et il avait grandi dans la rue. Pas de formation, pas de diplômes. Un jour où le Chauffeur buvait un verre en vitesse avec son agent, celui-ci lui avait confié qu'Hollywood rassemblait surtout des étudiants médiocres issus des universités les plus prestigieuses. Manny, à qui on s'adressait aussi bien pour remanier des adaptations de

Henry James que pour pondre vite fait des scénarios destinés à des films de genre comme *Billy's Tank*, était en quelque sorte l'exception à la règle.

Son répondeur se déclencha, comme toujours.

Vous savez qui je suis sinon vous n'appelleriez pas. Avec un peu de chance, je suis en train de bosser. Si je ne suis pas là, et si vous avez de l'argent pour moi, ou du boulot à me proposer, veuillez laisser votre numéro. Dans le cas contraire, ne me dérangez pas, laissez-moi tranquille.

« Manny ? dit le Chauffeur. T'es là ?

— Ouais. Ouais, je suis là… Raccroche pas, hein ?… Je finis un truc.

— T'es toujours en train de finir un truc.

— Attends, je sauvegarde… Voilà. C'est fait. La productrice voulait quelque chose de totalement nouveau. Pensez à du Virginia Woolf avec cadavres et poursuites en bagnole, qu'elle a dit.

— Et t'as répondu quoi ?

— Le premier moment d'effroi passé ? Ce que je réponds toujours : adaptation, nouvelle mouture ou scénario clé en main ? Il vous le faut pour quand ? Combien ça rapporte ? Ah, merde. T'as une minute ?

— Pas de problème.

— … Pour le coup, *ça*, c'est un signe des temps. Aujourd'hui, t'es sans arrêt dérangé par des démarcheurs pour des produits bio. Avant, on frappait à ta porte pour te vendre une moitié de bœuf découpée et

15

congelée, une offre exceptionnelle. Tant de steaks, tant de côtes, tant de steaks hachés.

– Les offres exceptionnelles, c'est toute l'Amérique, ça. La semaine dernière, j'ai eu droit à la visite d'une nana qui faisait de la retape pour des cassettes de chants de baleine.

– Elle était comment ?

– La quarantaine. Jean à la ceinture découpée, chemise de travail d'un bleu délavé. Une Latina. Il était quoi, sept heures du mat' ?

– Je crois bien qu'elle est venue ici aussi. Je n'ai pas ouvert mais j'ai jeté un coup d'œil par la fenêtre. Ça pourrait faire une bonne histoire, si j'en écrivais encore. Alors, de quoi t'as besoin ?

– Désuétude.

– Toi, t'as remis le nez dans un bouquin, pas vrai ? Attention, ça pourrait être dangereux… Bon, ça veut dire "sorti des habitudes". On l'emploie à propos d'un truc qu'on abandonne, par exemple, qui n'est plus en usage.

– Merci, vieux.

– C'est tout ?

– Ouais, mais on devrait aller boire un verre, un de ces jours.

– Volontiers, répondit Manny. J'ai encore ce truc-là, qui est presque terminé, après je peaufine le remake d'un film argentin et je passe un ou deux jours à lisser les dialogues d'une espèce de navet polonais pseudo artistique. T'as quelque chose de prévu jeudi prochain ?

– Non, jeudi, c'est parfait.

– Rendez-vous chez Gustavo ? Vers six heures ? J'apporterai une bouteille. »

C'était la seule concession de Manny au succès : il adorait le bon vin. Il arriverait avec un merlot chilien, ou un assemblage de merlot et de shiraz en provenance d'Australie et, vêtu de nippes payées dix dollars à la friperie du coin six ans plus tôt, il servirait ce breuvage incroyable.

Rien que d'y penser, le Chauffeur avait l'impression de sentir le mijoté de porc au yucca servi chez Gustavo. Ce qui lui donna faim. Et lui rappela le slogan d'un autre restaurant de Los Angeles, beaucoup plus chic : « Nous accommodons l'ail avec nos plats. » Chez Gustavo, les deux dizaines de chaises pour moitié moins de tables avaient coûté peut-être une centaine de dollars au total, les cageots de viande et de fromage étaient exposés à la vue de tous, et les murs n'avaient pas été lessivés depuis un bon moment. Mais oui, ça résumait assez bien les choses. Nous accommodons l'ail avec nos plats.

Le Chauffeur retourna au comptoir finir son café froid. Avant de s'en payer un autre, chaud celui-là, qui ne lui parut guère meilleur.

Chez Benito, au coin de la rue, il commanda un burrito accompagné de machaca servi avec une salade de tomates et des jalapenos pris au bar à condiments. Un plat qui avait du goût. Le juke-box braillait de la musique hispanique typique, guitare et bajo sexto disant que tout était toujours pareil, soufflets d'accordéon s'ouvrant et se fermant comme les valves du cœur.

3

Jusqu'à ce qu'il entame sa croissance, vers douze ans, le Chauffeur était plutôt petit pour son âge – un attribut que son père ne manquait pas de mettre à profit. Un gosse aussi frêle pouvait se faufiler aisément par des ouvertures étroites, des fenêtres de salle de bains, des chatières, etc., ce qui faisait de lui un assistant de premier ordre dans le commerce paternel, à savoir la cambriole. Lorsque sa croissance survint, le Chauffeur poussa d'un coup, sembla-t-il, passant d'un peu moins d'un mètre vingt à un mètre quatre-vingt-cinq presque en une nuit. Depuis, il était plus ou moins étranger à et dans son corps. Quand il marchait, ses bras battaient l'air et il traînait les pieds. S'il essayait de courir, il finissait souvent par trébucher et se casser la gueule. Mais s'il y avait bien une chose qu'il savait faire, c'était conduire. Et il conduisait sacrément bien.

Une fois que le Chauffeur eut fini de grandir, son père ne lui trouva plus guère d'utilité. Il n'en trouvait plus à sa femme depuis fort longtemps. Aussi le Chauffeur ne fut-il pas étonné lorsqu'un soir, à la table du dîner, elle attaqua le vieux à coups de couteaux à pain et à viande – un dans chaque main, tel un ninja en tablier à carreaux rouges et blancs. Elle lui avait coupé une oreille et dessiné un deuxième sourire en travers de la gorge avant qu'il n'ait eu le temps de reposer sa tasse de café. Le Chauffeur assista à la scène puis se concentra de nouveau sur son sandwich : pâté et gelée de menthe sur toasts – l'essentiel des talents culinaires de sa mère.

Il devait toujours s'émerveiller de la force avec laquelle cette femme docile et silencieuse avait frappé – comme si elle s'était préparée toute sa vie à cette attaque éclair. Par la suite, elle ne fut plus bonne à grand-chose. Le Chauffeur fit de son mieux. Mais au bout du compte, l'État finit par intervenir et arracher sa mère à la crasse incrustée d'un fauteuil rembourré garni d'une têtière. Quant au Chauffeur, il fut expédié chez des parents adoptifs, M. et Mme Smith à Tucson qui, jusqu'au jour de son départ, avaient l'air surpris chaque fois qu'il poussait la porte d'entrée ou émergeait de la minuscule chambre mansardée où il vivait comme une poule.

À quelques jours de son seizième anniversaire, il descendit de cette chambre mansardée avec un sac marin contenant toutes ses affaires et la clé de secours de la Ford Galaxie, qu'il avait dénichée dans un tiroir de la cuisine. M. Smith était au travail, Mme Smith partie donner ces cours de catéchisme où, deux ans plus tôt, avant qu'il ne cesse d'y assister, le Chauffeur avait régulièrement raflé des prix pour avoir appris par cœur le plus d'écritures saintes. Ce jour-là, en plein été, il régnait une chaleur étouffante au grenier et ce n'était pas mieux en bas.

Des gouttes de sueur tombèrent sur le papier pendant qu'il écrivait.

Désolé pour la voiture, mais j'en ai besoin. Je n'ai rien pris d'autre. Merci de m'avoir accueilli, merci pour tout ce que vous avez fait. Sincèrement.

Après avoir balancé le sac sur le siège, il recula pour sortir du garage, marqua le stop au bout de la rue et prit la première à gauche en direction de la Californie.

4

Ils se retrouvèrent dans un rade entre Sunset et Hollywood, à l'est de Highland. Des écolières catholiques en uniforme attendaient le bus en face de boutiques proposant cuir, dentelle et lingerie, et de magasins de chaussures bourrés de talons aiguilles pointure 46 et plus. À peine eut-il poussé la porte que le Chauffeur identifia le type. Pantalon de toile impeccable, T-shirt noir, veste sport. Montre en or *de rigueur* [1]. Bouquet d'anneaux au doigt et à l'oreille. Des cassettes maison diffusaient du jazz, un trio pour piano, ou peut-être un quartette, un morceau au rythme sinueux, comme une anguille, impossible de mettre la main dessus.

Le Nouveau commanda un Johnny Walker, Black Label, sans glace. Le Chauffeur s'en tint à ce qu'il avait pris. Ils se dirigèrent vers une table au fond de la salle.

« J'ai eu votre nom par Revell Hicks. »

Le Chauffeur hocha la tête.

« Un brave type.

---

1. En français dans le texte.

– Ça devient de plus en plus difficile d'éviter les amateurs, vous me suivez ? Tout le monde s'imagine être un hors-la-loi, tout le monde pense faire la meilleure sauce pour les spaghettis, tout le monde se prend pour un bon chauffeur.

– Si vous avez travaillé avec Revell, j'en déduis que vous êtes un pro.

– Pareil pour vous. » Le Nouveau éclusa son scotch. « En fait, j'ai entendu dire que vous étiez le meilleur.

– C'est vrai.

– On m'a dit aussi que ce n'était pas facile de bosser avec vous.

– Pas si on se comprend.

– Qu'est-ce qu'il y a à comprendre ? C'est mon plan. Alors, c'est moi le chef de chantier. Je dirige l'équipe, j'annonce la couleur. À partir de là, ou vous nous rejoignez, ou vous laissez tomber.

– Dans ce cas, je laisse tomber.

– Très bien. C'est vous qui voyez…

– Encore une occasion en or passée aux chiottes.

– Permettez-moi au moins de vous payer un autre verre. »

Le Nouveau alla au bar commander une tournée.

« N'empêche, je suis surpris, dit-il en posant devant le Chauffeur une bière fraîche et un petit verre de vodka. Vous voulez bien m'éclairer ?

– Je conduis. Rien d'autre. Je ne suis pas là pendant que vous organisez l'opération ou pendant que vous l'exécutez. Vous me dites d'où on part, où on va, où on ira après, à quelle heure. Je ne participe pas, je ne connais personne, je ne porte pas d'arme. Je conduis.

– Ce genre d'attitude doit sacrément réduire le nombre d'offres.

– Ce n'est pas une attitude, c'est un principe. Je refuse beaucoup plus de jobs que je n'en accepte.

– Là, c'est un beau coup.

– Ils le sont toujours.

– Pas comme celui-là. »

Le Chauffeur haussa les épaules.

Une de ces riches communautés au nord de Phoenix, expliqua le Nouveau, sept heures de route, des kilomètres de baraques à un demi-million de dollars aussi nombreuses que des terriers de lapins, repoussant les cactus du désert. Il griffonna quelque chose sur un bout de papier qu'il fit glisser sur la table avec deux doigts. Un geste qui rappela au Chauffeur la technique de certains vendeurs de voitures. Les gens sont tellement stupides, parfois. Quel homme doté d'un minimum de fierté, d'un minimum de personnalité, accepterait ça ? Même un crétin patenté ne le supporterait pas.

« C'est une blague, hein ? dit-il.

– Vous ne voulez pas participer, vous ne voulez pas de pourcentage, alors voilà ce que je vous propose. Un fixe. On ne se complique pas la vie. »

Le Chauffeur vida d'un trait sa vodka puis écarta sa bière. Toujours danser avec celui qui vous paie.

« Désolé de vous avoir fait perdre votre temps.

– Ça changerait quelque chose si j'ajoutais un zéro ?

– Ajoutez-en trois.

– Personne n'est bon à ce point.

– Vous l'avez dit vous-même, ce ne sont pas les chauffeurs qui manquent. À vous de décider.

– Je crois que ma décision est prise. » De la tête, il invita le Chauffeur à se rasseoir, puis plaça de nouveau la bière devant lui. « Je voulais juste vous asticoter un peu, mon vieux, vérifier si vous étiez réglo. » Il porta la main au petit anneau à son oreille droite. Plus tard, le Chauffeur se dirait qu'il s'agissait probablement d'un geste révélateur. « On est quatre dans l'équipe, on partage en cinq. Deux parts pour moi, une pour chacun de vous. Ça vous convient ?

– Je m'en arrangerai.

– Marché conclu, alors ?

– Marché conclu.

– Parfait. Une autre vodka ?

– Pourquoi pas ? »

Juste au moment où le sax alto sautait à l'arrière du morceau pour une longue et lente virée.

5

En sortant de chez Benito, le Chauffeur déboucha dans un monde transformé. Comme la plupart des villes, Los Angeles devenait une créature différente le soir. Les dernières traînées de rose et d'orange s'estompaient, basses à l'horizon, tandis que le soleil lâchait enfin prise et que les lumières de la ville, une centaine de milliers de doublures impatientes, entraient en scène. Trois types au crâne rasé, coiffés de casquettes de base-ball, entouraient sa voiture. Elle ne devait pourtant pas présenter beaucoup d'intérêt pour eux. Une banale Ford de 80 sans le moindre attrait. À moins de soulever le capot, ils n'avaient aucun moyen de savoir ce qu'on en avait fait. N'empêche, ils étaient là.

Le Chauffeur s'approcha de la portière et s'immobilisa en attendant la suite.

« Chouette bagnole, vieux ! » lança un des jeunes durs en se laissant glisser du capot.

Il regarda ses copains. Tous trois s'esclaffèrent.

Ha, ha. Sacrée bande de comiques.

Le Chauffeur avait déjà rassemblé ses clés dans une main, laissant l'une d'elles dépasser entre l'index et le majeur. Avançant d'un pas, il expédia son poing dans la trachée du mâle alpha, sentit la pointe métallique déchirer les chairs, puis le regarda suffoquer à terre.

Dans le rétroviseur, il vit les copains du jeune dur remuer mains et lèvres, ne sachant manifestement pas comment réagir. Les choses n'étaient pas censées se passer comme ça.

Peut-être devrait-il faire demi-tour, songea-t-il. Retourner auprès d'eux pour leur dire que c'était ça, la vie, une longue succession d'événements qui ne se passent jamais comme prévu.

Et merde. Ils le découvriraient peut-être tout seuls. Ou peut-être pas. La plupart des gens ne le découvrent jamais.

La notion de domicile était toute relative pour lui, bien sûr, mais il regagna néanmoins le sien. Le Chauffeur déménageait tous les deux ou trois mois. À cet égard, sa situation n'avait pas beaucoup changé depuis l'époque où il vivait dans le grenier de M. et Mme Smith. Il évoluait légèrement en marge du monde ordinaire, restant en grande partie dissimulé, presque invisible – à peine plus qu'une ombre. Tout ce qu'il possédait, il pouvait le charger sur son dos, le traîner derrière lui ou l'abandonner sur place. Ce qu'il appréciait par-dessus tout en ville, c'était l'anonymat, la possibilité d'être à la fois participant et spectateur. Il avait une préférence pour les vieux immeubles aux parkings fissurés et tachés d'huile, où personne ne risquait de se plaindre quand le type quelques portes plus loin écoutait sa musique trop fort, où souvent des locataires chargeaient leurs affaires en pleine nuit et disparaissaient sans qu'on n'entende plus jamais parler d'eux. Même les flics n'aimaient pas venir dans ce genre d'endroits.

Son appartement du moment était au deuxième étage. Vu d'en face, l'escalier privé semblait être le seul accès. Mais l'arrière donnait sur une galerie commune, une enfilade de balcons courant sur toute la longueur à chaque niveau, avec un palier tous les trois logements. À l'intérieur, un minuscule vestibule de l'autre côté de la porte ouvrait sur la chambre à gauche et le salon à droite, derrière lequel se nichait la cuisine, telle la tête d'un oiseau sous son aile. En prenant ses précautions, on pouvait y entreposer une cafetière, deux ou trois casseroles, peut-être une demi-série d'assiettes et quelques tasses, et avoir encore la place de se retourner.

Ce que fit le Chauffeur après avoir mis de l'eau à bouillir, le regard attiré par les fenêtres d'en face. Est-ce qu'il y avait quelqu'un derrière ? Les lieux paraissaient habités, et pourtant, le Chauffeur n'y avait encore distingué aucun mouvement, aucun signe de vie. Une famille de cinq personnes vivait dans l'appartement du dessous. Chaque fois qu'il jetait un coup d'œil chez eux, lui semblait-il, à n'importe quelle heure du jour ou de la nuit, ils étaient au moins deux à regarder la télé. Un célibataire résidait dans un des studios sur la droite. Il rentrait tous les soirs à cinq heures quarante, lesté d'un pack de six et d'un sac en papier blanc contenant son dîner. Assis dans son fauteuil, il contemplait le mur en vidant les canettes les unes après les autres, à raison d'une toutes les demi-heures. À la troisième, il sortait son hamburger et le mâchonnait. Après, il finissait les bières et allait se coucher.

Quand le Chauffeur avait emménagé, une femme d'âge indéterminé occupait le logement de gauche, où elle était restée encore une semaine ou deux. Le matin, après la douche, elle s'asseyait à la table de la cuisine pour se passer du lait hydratant sur les jambes. Le soir, de nouveau nue ou presque, elle s'installait au même endroit pour parler pendant des heures dans son téléphone portable. Une nuit où le Chauffeur la regardait, elle avait envoyé valdinguer le mobile de l'autre côté de la pièce. Elle s'était ensuite approchée de la fenêtre, écrasant ses seins contre la vitre. Elle avait les larmes aux yeux – ou l'avait-il juste imaginé ? Par la suite, il ne l'avait plus jamais revue.

De retour dans la cuisine, il versa l'eau bouillante sur le café moulu dans un filtre en forme de cône.

Quelqu'un frappait à la porte ?

C'était carrément inconcevable. Les gens qui vivaient dans des endroits comme Palm Shadows se fréquentaient rarement et avaient toutes les raisons de ne pas attendre de visiteurs.

« Ça sent bon », dit-elle quand il ouvrit.

La trentaine. Un jean sur lequel de minuscules explosions semblaient s'être produites ici et là, exposant des touffes de franges blanches. Un T-shirt trop large, noir, orné d'une inscription fanée depuis longtemps, dont ne subsistaient que quelques lettres – un F, un A, deux ou trois demi-consonnes. Quinze centimètres de cheveux blonds soutenus par un bon centimètre de racines brunes.

« Je viens d'emménager à votre étage. »

Une longue main étroite, étrangement semblable à un pied, apparut devant lui. Le Chauffeur la serra.

« Trudy. »

Il ne demanda pas ce qu'une gentille Blanche dans son genre faisait là. Il s'interrogeait sur son accent. L'Alabama, peut-être ?

« J'ai entendu votre radio, c'est comme ça que j'ai su que vous étiez chez vous. Je voulais me préparer du pain de maïs et j'avais tout sorti quand je me suis rendu compte que je n'avais pas d'œufs. Pas un seul. Est-ce que par hasard…

– Désolé. Il y a une épicerie coréenne au coin de la rue.

– Merci… Vous me laissez entrer ? »

Le Chauffeur s'effaça.

« J'aime bien connaître mes voisins, expliqua-t-elle.

– Dans ce cas, vous vous êtes probablement trompée d'adresse.

– Ce ne serait pas la première fois. Pour ce qui est de ne pas faire les bons choix, j'ai des antécédents. Un talent inné.

– Je peux vous offrir quelque chose ? Il doit rester une bière ou deux dans le frigo – enfin, dans la glacière, comme vous dites chez vous.

– Pourquoi je dirais ça ?

– Je pensais que vous veniez de… »

– Je prendrais volontiers un peu de ce café que j'ai senti tout à l'heure. »

Le Chauffeur alla dans la cuisine, remplit deux tasses et les rapporta au salon.

« Drôle d'endroit, hein ? reprit-elle.

– Quoi ? Los Angeles ?

– Non, ici.

– Peut-être.

– Le type d'en dessous entrouvre toujours sa porte pour me reluquer quand je rentre. Dans l'appartement d'à côté, ils laissent la télé allumée vingt-quatre heures sur vingt-quatre. Une chaîne espagnole. Rien que de la salsa, des feuilletons où la moitié des personnages se font descendre et l'autre passe son temps à hurler, des émissions comiques nulles avec des gros en costume rose.

– Vous cadrez parfaitement dans le tableau, c'est évident. »

Elle éclata de rire. Ils burent leur café tranquillement, bavardant de tout et de rien. Le Chauffeur n'avait pas acquis la capacité de faire la conversation, il n'en avait jamais vu l'intérêt. Il n'était pas non plus particulièrement sensible aux sentiments des autres. Pourtant, il se surprit à parler ouvertement de ses parents et à ressentir, chez sa compagne de passage, une profonde souffrance que rien n'atténuerait peut-être jamais.

« Merci pour le café, dit-elle enfin. Et encore plus pour la conversation. Mais je m'éteins vite.

– La résistance, c'est toujours ce qui nous lâche en premier. »

30

Ils se dirigèrent ensemble vers la porte. La même main longue et étroite reparut ; le Chauffeur la prit.

« J'habite au 2-G. Je travaille de nuit, alors je suis chez moi toute la journée. Vous passerez peut-être me voir, un de ces jours… »

Elle attendit un moment puis, comme il ne disait rien, se détourna et s'engagea dans le couloir. Hanches et fesses moulées dans son jean, de pures merveilles. De plus en plus menues à mesure qu'elle s'éloignait, ramenant souffrance et tristesse dans leur, et son, antre.

6

La deuxième fois qu'il fut embauché comme chauffeur, tout alla de travers. Les types s'étaient fait passer pour des pros. Ils ne l'étaient pas.

La cible était un prêteur sur gages à la sortie de la ville en direction de Santa Monica, près de l'aéroport et à côté de deux immeubles qui rappelaient l'époque des vieilles cartes informatiques à perforer. La boutique elle-même ne payait pas de mine quand on y pénétrait par la porte de devant – déballage habituel d'accordéons, de vélos, de chaînes stéréo, de bijoux et de cochonneries en tout genre. La bonne camelote entrait et sortait par la porte de derrière. Le fric servant à payer le péage au niveau de cette porte-là était planqué dans un coffre tellement vieux que Doc Holliday aurait pu y entreposer ses instruments.

Les types n'avaient pas besoin d'accordéons ou de bijoux. Le fric dans ce coffre, c'était une autre histoire.

Le Chauffeur conduisait une Ford Galaxie. À sa sortie de l'usine, cet engin avait déjà une puissance insensée, et lui, il avait sérieusement œuvré sous le capot. D'une ruelle adjacente, il vit les trois

32

complices, dont deux devaient être frères, se diriger vers le mont-de-piété. Quelques minutes plus tard, il entendit les détonations claquer comme des coups de fouet. *Une. Deux. Trois.* Suivies d'un bruit évoquant un tir de canon et du fracas d'une fenêtre qui explosait quelque part. Lorsqu'il sentit une masse s'affaler sur la banquette arrière, il démarra en trombe sans même tourner la tête. Cinq ou six cents mètres plus loin, les flics le prirent en chasse – d'abord deux voitures, puis trois –, mais ils n'avaient pratiquement aucune chance contre la Galaxie ou l'itinéraire qu'il avait élaboré – sans parler de sa conduite –, et bientôt, il les sema. Quand tout fut terminé, il s'aperçut qu'il était parti avec seulement deux des trois types.

Ce salopard nous a braqués avec un fusil, t'imagines ? Un fusil, bon Dieu !

Ils avaient laissé derrière eux un des frères présumés, mort ou mourant sur le sol de la boutique.

Ils avaient aussi laissé le putain de fric.

7

Il n'était pas censé avoir l'argent. Il n'était pas censé participer. Et il aurait tout intérêt à retourner au boulot enchaîner les trois cent soixante et les tête-à-queue. Jimmie, son agent, avait sans doute reçu un tas d'appels pour lui. Sans parler du film sur lequel il devait bosser. Les scènes n'avaient pas grand sens pour lui, mais de toute façon, elles en avaient rarement. Il ne voyait jamais les scénarios ; pareil à un musicien de studio, il travaillait sur des partitions simplifiées. Il se disait que les scènes n'auraient sans doute pas beaucoup de sens non plus pour les spectateurs s'ils prenaient le temps d'y réfléchir. En attendant, elles en jetaient. Et lui, tout ce qu'on lui demandait, c'était de se pointer, de percuter son objectif, de remplir sa part du contrat – de « livrer la marchandise », comme disait Jimmie. Ce qu'il faisait toujours. Sans lésiner, ni sur la quantité ni sur la qualité.

Cet Italien au front couvert de rides et de verrues était sur le tournage, en vedette. Le Chauffeur, qui n'allait pas souvent au cinéma, n'arrivait jamais à se souvenir de son nom, mais il avait collaboré avec lui à plusieurs reprises. L'homme apportait toujours sa cafetière et s'envoyait des expressos toute la sainte journée comme autant de pastilles contre la toux. Parfois, sa mère le rejoignait et se faisait escorter partout comme une reine.

Voilà où il aurait dû être.

Sauf qu'il n'y était pas.

Le casse avait eu lieu à neuf heures ce matin-là, juste après l'ouverture. Il lui semblait maintenant qu'une éternité s'était écoulée depuis. Quatre participants. Le Maître d'Œuvre – le Nouveau – qui avait mis l'opération sur pied, organisateur et chef de chantier. Un fort à bras venu de Houston nommé Dave Strong, ancien ranger pendant la guerre du Golfe, à ce qu'on disait. La fille, Blanche. Et lui au volant, bien sûr. Ils avaient quitté Los Angeles à minuit. Rien de compliqué : Blanche entrerait pour créer une diversion et attirer l'attention pendant que le Maître d'Œuvre et Strong prenaient position.

Le Chauffeur avait cherché une voiture pendant trois jours. Il choisissait toujours ses véhicules. Il ne les volait pas, ce qui était la première erreur généralement commise par tous, les pros comme les amateurs. Non, il les achetait chez de petits revendeurs. Cherchait quelque chose d'ordinaire, quelque chose qui se fondrait dans le décor. Capable néanmoins de se cabrer sur ses roues arrière et de fouetter l'air au besoin. Lui-même avait une prédilection pour les Buick déjà anciennes, moyenne gamme, plutôt dans les bruns ou gris, tout en restant ouvert à d'autres possibilités. Cette fois, il avait jeté son dévolu sur une Dodge de dix ans d'âge. Une bagnole qu'on pouvait expédier contre un blindé sans effets secondaires. Sur laquelle des enclumes rebondiraient. Mais lorsqu'il avait démarré, il avait eu l'impression que le moteur s'éclaircissait la gorge comme pour prendre la parole.

« Vous avez une banquette arrière ? » avait-il demandé au vendeur qui l'accompagnait pour un essai.

Il n'avait pas besoin de pousser la voiture, il voulait juste voir comment elle se comportait. Pour juger de la façon dont elle tenait la route dans les virages, vérifier si le train arrière chassait au moment d'accélérer ou de ralentir, de se rabattre ou de déboîter. Surtout, il l'écoutait. En s'installant au volant, le Chauffeur avait commencé par éteindre la radio. Puis, à deux ou trois reprises, il avait fait taire le vendeur. Il y avait un peu trop de jeu dans la transmission à son goût. Il faudrait régler l'embrayage. Et la direction avait tendance à tirer vers la droite. Mais sinon, c'était exactement ce qu'il lui fallait. De retour sur le parking, le Chauffeur s'était glissé en dessous du véhicule pour s'assurer que le châssis était droit, les essieux et les courroies en bon état. Enfin, il avait abordé le sujet de la banquette arrière.

Après avoir payé en liquide, il avait emmené la Dodge dans un des différents garages dont il utilisait les services. Là, elle aurait droit à la totale – nouveaux pneus, huile et lubrifiants, nouvelles courroies et nouveaux tuyaux, vidange –, avant d'être entreposée à l'abri des regards jusqu'au moment où il viendrait la chercher pour le boulot.

Le lendemain, il était convoqué sur le tournage à six heures du matin, ce qui en langage hollywoodien voulait dire aux environs de huit heures. Le réalisateur de la deuxième équipe voulait filmer la scène immédiatement (pourquoi pas, après tout, il était payé pour ça), mais le Chauffeur avait tout de même insisté pour faire un essai. On lui avait refilé une Chevy de 58, blanc et bleu-vert. Une chouette caisse, mais qui se manœuvrait comme un char. À la première tentative, il avait manqué le dernier objectif d'au moins cinquante centimètres.

« Ça me va, avait dit le type de la deuxième équipe.

— Pas moi, avait répondu le Chauffeur.

— Bon sang, vieux, s'était récrié Deuxième Équipe, ça représente quoi ? Quatre-vingt-dix secondes dans un film de deux heures ? C'était super !

— Les pilotes, c'est pas ça qui manque, avait rétorqué le Chauffeur. Appelez-en un autre. »

Lors du second essai, tout s'était passé comme sur des roulettes. Le Chauffeur s'était donné un peu plus de temps pour prendre de la vitesse, attaquer le tremplin et se mettre sur deux roues afin de parcourir la ruelle, puis il s'était reposé et avait effectué un tête-à-queue de façon à se retrouver face à l'endroit d'où il était arrivé. Le tremplin serait effacé au montage et la ruelle paraîtrait beaucoup plus longue qu'elle ne l'était.

L'équipe avait applaudi.

Il avait une autre scène à tourner ce jour-là, une simple course-poursuite au milieu de la circulation sur l'autoroute. Quand l'équipe avait fini de tout mettre en place, toujours la partie la plus compliquée, il était deux heures de l'après-midi. Le Chauffeur avait réussi l'épreuve haut la main du premier coup. Il était deux heures vingt-trois ; il avait tout le reste de la journée devant lui.

Il avait vu deux films mexicains sur Pico, s'était accordé deux ou trois bières dans un bar proche en échangeant quelques propos polis avec son voisin de comptoir, puis il était allé dîner dans le restaurant salvadorien au bout de la rue où il vivait temporairement – riz mijoté avec des crevettes et du poulet, tortillas épaisses accompagnées de leur fameuse sauce aux haricots, émincé de concombre, de radis et de tomates.

À la fin du repas, il avait bien entamé la soirée, ce qu'il cherchait quand il n'était pas engagé pour un boulot ou pour un autre. Mais même après un bain et la moitié d'un verre de scotch, il n'avait pas pu fermer l'œil.

Maintenant, il savait : c'était un détail auquel il aurait dû prêter attention.

La vie nous envoie en permanence des messages – puis se marre en nous voyant batailler en vain pour tenter de les déchiffrer.

Alors, à trois heures du matin, il avait regardé par la fenêtre l'aire de chargement de l'autre côté de la rue en se disant que la présence d'une équipe là-bas, occupée à sortir de la marchandise de l'entrepôt et à la répartir dans différents camions, avait toutes les chances d'être illégale. Il n'y avait aucun signe d'activité ailleurs, pas de contremaîtres ni de lumières, et les types s'activaient à un rythme soutenu totalement anti-syndical.

Il avait songé à appeler la police pour voir ce qui se passait après, pour pimenter un peu le spectacle, mais il n'en avait rien fait.

Vers cinq heures, il avait enfilé un jean et un vieux sweat-shirt, puis il était allé prendre son petit-déjeuner chez le Grec.

*
**

Quand un coup part en vrille, il arrive qu'on ne s'en aperçoive pas tout de suite tant le premier dérapage est subtil. Parfois, au contraire, c'est un vrai festival, avec cascade de dominos et feux d'artifices.

Cette expérience-là se situait entre les deux.

Assis dans la Dodge où il faisait semblant de lire le journal, le Chauffeur avait regardé ses complices se déployer à l'intérieur. À leur arrivée, un peu plus tôt, il y avait déjà une petite file d'attente devant la porte, cinq ou six personnes. À présent, il voyait le trio à travers les stores. Blanche bavardait avec l'agent de sécurité près de l'entrée, écartant les mèches qui lui retombaient devant les yeux. Les deux autres examinaient les alentours, prêts à sortir leurs flingues. Tout le monde souriait encore, à ce stade.

Le Chauffeur avait également repéré :

– un vieil homme assis sur un muret de brique en face de l'officine, les jambes repliées comme les

39

pattes d'une sauterelle, s'efforçant de reprendre son souffle ;

– deux gamins d'une douzaine d'années slalomant en skate sur le trottoir d'en face ;

– la foule habituelle de tailleurs et de costumes-cravates qui partaient au bureau, serrant attachés-cases ou sacs à l'épaule, l'air déjà éreinté ;

– une jolie femme bien habillée, peut-être la quarantaine, promenant un boxer dont les babines dégoulinaient de bave gluante ;

– un Latino musclé déchargeant les caisses de légumes empilées sur son pick-up garé en double file, puis les emportant jusqu'au restaurant moyen-oriental au coin de la rue ;

– une Chevy stationnée à l'entrée d'une ruelle étroite trois boutiques plus loin.

Il s'était figé en la découvrant. Il avait l'impression de se regarder dans un miroir. Cette voiture, avec son chauffeur à l'intérieur dont les yeux allaient de gauche à droite et de haut en bas, n'avait absolument pas sa place dans le décor. Rien ne justifiait sa présence à cet endroit.

Soudain, un mouvement à l'intérieur du magasin avait attiré son attention – tout s'était passé très vite, il assemblerait plus tard les pièces du puzzle –, et le Chauffeur avait vu le type censé protéger leurs arrières, Strong, se tourner vers Blanche en remuant les lèvres. Il s'était effondré au moment où elle-même dégainait puis ouvrait le feu avant de tomber comme si elle avait aussi été touchée. Le Maître d'Œuvre, le type qui avait organisé l'opération, s'était mis à tirer vers elle.

Le Chauffeur était toujours en train de se dire *C'est quoi, ce bordel ?* quand Blanche était sortie en trombe avec le sac plein de fric, qu'elle avait lancé sur la banquette arrière toute neuve.

« Fonce ! »

Ce qu'il avait fait, jouant du frein et de l'accélérateur pour louvoyer entre une camionnette Fedex et une Volvo avec une bonne vingtaine de poupées sur la plage arrière et une plaque d'immatriculation qui disait *Urthship2 –*, sans s'étonner quelques secondes plus tard de découvrir la Chevy juste derrière eux tandis qu'*Urthship2* se crashait au milieu des poubelles disposées devant un magasin de disques et livres d'occasion.

L'atmosphère allait vite devenir irrespirable pour le vaisseau *Urthship2*, fraîchement débarqué dans un nouveau monde peuplé d'indigènes hostiles.

La Chevy leur avait collé au train un bon moment – c'est dire si le type était doué – pendant que Blanche, assise sur le siège passager, retirait du sac de sport des billets par poignées en secouant la tête et en répétant « Merde ! Oh, merde ! »

Les banlieues les avaient sauvés, tout comme elles en sauvaient tant d'autres de l'influence néfaste de la ville. Alors qu'il se dirigeait vers la zone résidentielle repérée un peu plus tôt, le Chauffeur s'était engagé à toute allure dans une rue tranquille, puis il avait écrasé la pédale de freins une première fois, une deuxième et une troisième, de sorte qu'au moment

41

d'atteindre le casse-vitesse, il roulait à une allure constante, innocente, de trente-cinq kilomètres/heure. Ne connaissant pas le quartier et ne voulant pas les perdre de vue, le conducteur de la Chevy était arrivé derrière eux à fond la caisse. Dans son rétroviseur, le Chauffeur l'avait vu se faire arrêter par les flics du coin – une voiture de patrouille à angle droit derrière elle, un motard devant. L'incident alimenterait les conversations au poste pendant des semaines.

« Merde, avait répété Blanche à côté de lui. Y a beaucoup plus que prévu, là-dedans. Pas loin d'un quart de million, je dirais. Oh, merde ! »

8

Gamin, nouvellement arrivé en ville, il avait traîné autour des studios. Comme beaucoup d'autres, de tous les âges, de tous les styles. Mais ce n'étaient pas les stars dans les limousines ou les seconds rôles arrivant en Mercedes et BMW qui l'intéressaient. Non, c'étaient les types qui débarquaient en Harley, coupés sport et pick-up genre Big Foot. Comme toujours, il se faisait discret, se tenait en retrait, tendait l'oreille. Une ombre. Il ne lui fallut pas longtemps pour entendre parler du repaire de prédilection de tous ces gars, un bar-grill dans le quartier le plus miteux du vieil Hollywood, où il se mit à traîner lui aussi. Au cours de la deuxième semaine, vers deux ou trois heures de l'après-midi, il leva les yeux pour voir Shannon s'installer à l'autre bout du comptoir. Le barman le salua par son nom et lui apporta une bière ainsi qu'un verre à shooter avant même qu'il soit assis.

Shannon avait un prénom que personne n'utilisait. Celui-ci était juste cité dans le générique, tout en bas de la liste. On le disait originaire du Sud, peut-être de Hill Country. Ses traits, son teint et son accent révélaient incontestablement une ascendance irlando-écossaise, comme beaucoup d'habitants de cette région, mais il ressemblait surtout au plouc typique du fin fond de l'Alabama.

C'était aussi le meilleur cascadeur de la profession.

« Fais marcher la suite, lança-t-il au barman.

– T'as vraiment besoin de me le dire ? »

Il avait vidé trois chopes et autant de bourbons quand le Chauffeur trouva enfin le courage de l'aborder. En le voyant planté devant lui, Shannon immobilisa le quatrième bourbon qui montait vers sa bouche.

« Je peux faire quelque chose pour toi, gamin ? »

Un gamin sans doute guère plus vieux (devait-il se dire) que ceux qui rentraient présentement du lycée en car, en voiture ou en limousine.

« Je me demandais si je pourrais vous offrir un verre ou deux.

– Tiens donc. » Shannon acheva son geste, avala le bourbon et reposa doucement le verre sur le comptoir. « Tes godasses ont presque plus de semelle. Tes fringues valent guère mieux et je suis prêt à parier que ce sac à dos contient grosso modo tout ce que tu possèdes. Ça doit faire un bail que t'as pas croisé la route d'une savonnette. Et je dirais que t'as rien mangé depuis un jour ou deux. Je me goure ?

– Non, m'sieur.

– Mais tu veux quand même me payer un verre.

– Oui, m'sieur.

44

– Tu devrais bien t'en sortir ici, à Los Angeles »,
dit encore Shannon avant d'avaler un bon tiers de sa
bière.

Il fit signe au barman, qui s'approcha aussitôt.

« Sers à boire à ce jeune homme, Danny. Ce qu'il
veut. Et demande en cuisine qu'on nous envoie un
hamburger, une grande frite et de la salade de chou.

– C'est parti. »

Après avoir griffonné sur son calepin, Danny
arracha la page et l'accrocha à l'aide d'une pince à
linge en bois à un anneau qu'il orienta vers les cui-
sines. Une main se matérialisa aussitôt pour récupérer la commande. Le Chauffeur dit qu'il prendrait
volontiers une bière.

« Alors, qu'est-ce que t'attends de moi, mon
garçon ? reprit Shannon.

– Je m'appelle…

– T'auras peut-être du mal à le croire, mais je me
fous complètement de ton nom.

– Je viens de…

– Je m'en fous encore plus.

– Vous êtes dur, comme public.

– Le public l'est toujours. C'est dans sa nature. »

Danny ne mit pas longtemps à apporter la
commande, l'attente n'était jamais longue dans les
endroits de ce genre. Il posa l'assiette devant
Shannon qui, de la tête, indiqua le Chauffeur.

« Pour le gamin. Moi, tu me remets ça. »

L'assiette glissa en direction du Chauffeur, qui
s'y attaqua en remerciant les deux hommes. Le petit
pain était ramolli par la graisse du steak, les frites

croustillantes à l'extérieur et fermes à l'intérieur, le chou crémeux et sucré. Shannon fit durer sa bière, cette fois. Pendant que le bourbon attendait patiemment son tour.

« Tu traînes dans le coin depuis longtemps, mon garçon ?

– Presque un mois, je crois. J'ai du mal à me rendre compte.

– C'est ton premier vrai repas depuis tout ce temps ?

– J'avais de l'argent, au début. Il a pas fait long feu.

– C'est toujours comme ça. Dans cette ville encore plus qu'ailleurs. » Shannon s'autorisa une gorgée mesurée de bourbon. « Demain, après-demain, tu seras aussi affamé que tu l'étais y a dix minutes. Et qu'est-ce que tu feras, à ce moment-là ? Tu comptes dévaliser les touristes sur Sunset pour une poignée de dollars et des chèques de voyage que tu pourras pas encaisser ? Ou braquer une supérette, peut-être ? On a déjà des pros de carrière pour ça.

– Mon truc, c'est les bagnoles.

– Ah, nous y voilà. Un bon mécanicien peut trouver du boulot n'importe où, n'importe quand. »

Oui, c'était dans ses cordes, lui expliqua le Chauffeur. Après tout, il était presque aussi adroit sous le capot que derrière un volant. Mais ce qu'il faisait le mieux, beaucoup mieux que la plupart des gens, c'était conduire.

Quand il eut sifflé son bourbon, Shannon éclata de rire.

« Y avait belle lurette que j'avais pas repensé à ce qu'on ressent à ton âge, dit-il. Quand on est tellement sûr de soi, tellement confiant… Persuadé que le monde entier n'attend que nous. T'as vraiment la foi, gamin ? »

Le Chauffeur hocha la tête.

« Parfait. Si tu veux vivre ici, si t'espères survivre sans te faire bouffer, t'as intérêt à l'avoir », déclara Shannon.

Il termina sa bière, régla l'addition et demanda au Chauffeur s'il voulait bien l'accompagner. Tout en piochant dans le pack de six acheté à Danny, ils roulèrent pendant environ une demi-heure avant que Shannon ralentisse pour franchir une crête basse, puis descende une pente jusqu'à un réseau de canaux de drainage.

Le Chauffeur examina les alentours. Le paysage n'était guère différent du désert de Sonora où, dans la vieille camionnette Ford de M. Smith, il avait appris tout seul à conduire : une plaine aride bordée de murets, tout un assortiment de chariots de supermarché, de sacs d'ordures, de pneus et de petits appareils ménagers disséminés ici et là comme les cactus saguaro, les broussailles et les figuiers de Barbarie qu'il s'était entraîné à contourner.

Shannon s'arrêta puis descendit de voiture sans couper le moteur. Les deux dernières canettes de bière emprisonnées dans leur film en plastique pendaient au bout de son bras.

« Je te donne une chance, gamin. Montre-moi ce que t'as dans le ventre. »

Chauffeur s'exécuta.

rès, ils allèrent manger mexicain sur Sepulveda, dans un restaurant grand comme un wagon de marchandises, où tout le monde, serveuse, extra, cuisinier, semblait appartenir à la même famille. Tous connaissaient Shannon, qui s'adressa à eux dans un espagnol idiomatique absolument parfait, comme le découvrirait plus tard le Chauffeur. Shannon et lui commencèrent par quelques scotchs, puis s'offrirent des chips et de la salsa, une soupe brûlante, des enchiladas au piment vert. À la fin du repas, plusieurs bières Pacifico ayant aussi défilé devant lui, le Chauffeur était sérieusement sonné.

Le lendemain matin, il se réveilla sur le canapé de Shannon, où il dormit les quatre mois suivants. Deux jours plus tard, il décrochait son premier job, une scène de course-poursuite relativement classique dans un feuilleton policier à petit budget. D'après le scénario, il devait négocier un virage serré, se mettre sur deux roues puis se reposer – un truc simple, sans fioritures. Mais au moment où il abordait le tournant, le Chauffeur vit comment apporter sa touche personnelle. Après avoir braqué pour se rapprocher du mur, il y plaqua les deux roues en l'air. Comme s'il avait quitté le sol et conduisait à l'horizontale.

« Nom de Dieu ! s'écria le réalisateur de la deuxième équipe. Imprimez-moi ça tout de suite ! »

Une réputation était née.

Posté dans l'ombre d'une des caravanes, Shannon sourit. *C'est mon garçon.* Il travaillait sur une grosse production quatre plateaux plus loin et il avait profité d'une pause pour venir voir comment se débrouillait le gamin.

Le gamin se débrouillait comme un chef. Il se débrouillait toujours comme un chef dix mois plus tard quand, au cours d'une cascade risquée mais familière, du genre de celles qu'il avait faites une bonne centaine de fois, Shannon franchit au volant de sa voiture le bord du canyon qu'il longeait à toute allure et, devant les caméras en train de filmer, plongea cent mètres plus bas, rebondit deux fois et s'immobilisa sur le dos tel un scarabée.

9

« Je vais vite chercher un truc à manger, dit Blanche. J'ai repéré un Pizza Hut pas loin et j'ai une de ces faims… Merguez et supplément de fromage, ça te va ?

– Super », répondit-il, immobile à côté de la porte, près d'une de ces fenêtres panoramiques coulissant sur des rails en aluminium qui semblent communes à tous les motels.

L'angle inférieur gauche était sorti de l'encadrement et le Chauffeur sentait un souffle d'air chaud en provenance du dehors. Ils se trouvaient dans une chambre au deuxième étage donnant sur le devant de l'établissement, avec seulement le balcon, un escalier et vingt mètres environ de parking entre eux et l'autoroute. Le motel lui-même comportait trois sorties différentes. Il y avait une bretelle d'accès à l'autoroute au niveau du croisement derrière le parking. Et une autre juste au bout de la rue.

La première chose à faire, que ce soit dans une chambre, un bar, un restaurant, une ville ou une planque, c'est de recenser et de mémoriser les issues.

Un peu plus tôt, fatigués par la route, le corps parcouru de vibrations après bien trop d'heures passées en voiture, ils avaient regardé à la télé un film de casse qui se déroulait au Mexique, avec un acteur ayant connu la célébrité pendant environ trois jours avant de sombrer dans la drogue, de ne plus participer qu'en guest star à des navets comme celui-là, tournés au rabais, et de se contenter de la maigre gloire déclinante entretenue par les journaux à sensation.

Le Chauffeur s'étonnait toujours du pouvoir des rêves collectifs. Tout avait foiré dans les grandes largeurs, ils étaient tous les deux en cavale, et qu'est-ce qu'ils faisaient ? Ils restaient assis là, à regarder un film. Dans les deux ou trois scènes de course-poursuite, le Chauffeur aurait parié que c'était Shannon au volant. On ne le voyait jamais, évidemment. Mais c'était bien son style.

Ça vient de Blanche, forcément, songea-t-il près de cette fenêtre. *Sinon, jamais la Chevy n'aurait pu se retrouver là, sur le parking.*

Blanche, qui avait sorti une brosse de son sac à main, se dirigeait vers la salle de bains.

Il l'entendit s'exclamer : « Qu'est-ce que… »

Elle fut interrompue par la détonation du fusil.

Il contourna le corps, découvrit l'homme qui essayait d'entrer par la fenêtre, puis glissa sur une flaque de sang et tomba dans la cabine de douche, brisant la porte vitrée et s'entaillant le bras. L'intrus se contorsionnait toujours pour se libérer. Mais soudain, il leva son arme et la braqua sur le Chauffeur qui, sans réfléchir, ramassa un éclat de verre et le lança vers l'inconnu. Le projectile atteignit celui-ci en plein front, faisant éclore une fleur de chair rose ; aveuglé par le sang qui lui coulait dans les yeux, l'homme lâcha le fusil. Au même instant, le Chauffeur aperçut le rasoir près du lavabo. Il s'en servit.

L'autre type tentait de défoncer la porte à coups de pied. C'était ce martèlement sourd que le Chauffeur avait entendu tout du long sans comprendre d'où il provenait. Le tueur fit irruption dans la chambre au moment où lui-même revenait, juste à temps pour tirer la seconde cartouche. Le fusil mesurait peut-être trente centimètres de long et avait un recul terrible, ce qui n'arrangea pas l'état de son bras. Le Chauffeur voyait maintenant la chair, les muscles et l'os.

Sans songer pour autant à s'en plaindre, cela dit.

✳✳

Assis par terre, adossé à une cloison dans un Motel 6 à la sortie de Phoenix, le Chauffeur regardait la mare de sang se répandre vers lui. La rumeur de la circulation en provenance de l'autoroute proche lui parvenait. Quelqu'un sanglotait dans la chambre voisine. Soudain, il s'aperçut qu'il retenait son souffle, guettant le hurlement des sirènes, les exclamations d'une foule dans l'escalier ou sur le parking en contrebas, des piétinements dans le couloir, et il inspira une grande bouffée d'air empuanti par le sang, l'urine, les fèces, la cordite et la peur.

La lumière du néon se reflétait sur la peau du grand type pâle près de la porte.

52

Il entendait le goutte-à-goutte du robinet de la baignoire dans la salle de bains.

Et aussi un autre son, un grattement, un frottement, d'autres martèlements. Enfin, il se rendit compte qu'il s'agissait de son bras, dont les soubresauts involontaires amenaient les phalanges à râper le sol, les doigts à le griffer et à le frapper à chaque contraction de la main.

Son bras pendait, détaché de lui, indépendant, comme une chaussure abandonnée. Le Chauffeur rassembla sa volonté pour lui ordonner de bouger. En vain.

Bon, il s'en préoccuperait plus tard.

De nouveau, il tourna la tête vers la porte entrouverte. Peut-être que c'est tout, songea-t-il. Peut-être que personne d'autre ne viendra, que tout est fini. Peut-être que, pour le moment, trois morts suffisent.

10

Au bout de quatre mois passés chez Shannon, le Chauffeur avait mis suffisamment de côté pour pouvoir emménager dans un appartement en plein cœur du vieux quartier est d'Hollywood. Son chèque incluant la caution et le loyer fut le premier qu'il rédigea de toute sa vie et pratiquement le dernier. Bientôt, il apprendrait à tout régler en liquide, à voler sous les radars, à laisser le moins de traces possibles. « Nom de Dieu, on se croirait dans un film des années quarante ! lança Shannon en découvrant l'endroit. C'est lequel, l'appart' de Marlowe ? » Sauf qu'aujourd'hui, quand on s'asseyait sur le balcon grand comme une planche, on entendait plus d'espagnol que d'anglais.

Le Chauffeur débouchait de l'escalier quand la porte voisine de la sienne s'ouvrit, révélant une femme qui lui demanda dans un anglais parfait mais teinté des inflexions chantantes typiques d'une Espagnole d'origine, s'il avait besoin d'aide.

En la voyant – une Latina à peu près du même âge que lui, cheveux noir corbeau et yeux de braise –, il regretta amèrement de ne pas avoir besoin d'aide.

Mais ce qu'il avait dans les bras représentait l'essentiel de ses effets personnels.

« Je vous offre une bière, alors ? proposa-t-elle quand il l'eut admis. Ça vous redonnera des forces après avoir transporté un chargement pareil.

– Ça, je veux bien.

– Parfait. Moi, c'est Irina. Venez dès que vous serez prêt. Je laisse la porte entrouverte. »

Quelques minutes plus tard, il entrait dans l'appartement voisin – reproduction fidèle du sien. De la musique douce passait, un morceau à trois temps caractérisé par un accompagnement à l'accordéon et de fréquentes apparitions du mot *corazón*. Le Chauffeur se souvint d'avoir entendu un jour un musicien de jazz affirmer que le rythme de la valse se rapprochait plus qu'aucun autre de celui du cœur humain. Assise sur un canapé identique au sien, quoique nettement plus propre et beaucoup plus usé, Irina regardait un feuilleton sur une des chaînes de télé en espagnol. Des novellas, comme on les appelait. Elles faisaient un tabac.

« La bière est là-bas, sur la table, si ça vous tente toujours.

– Merci. »

En prenant place sur le divan à côté d'elle, il sentit son parfum – des effluves de savon et de shampooing matinaux auxquels se mêlait l'odeur de sa peau, plus subtile et en même temps plus concrète.

« Vous êtes nouveau en ville ? demanda-t-elle.

– Ça fait plusieurs mois que je suis là. Jusqu'à maintenant, je logeais chez un copain.

– Vous venez d'où ?

– De Tucson. »

Il s'attendait aux remarques habituelles sur les cow-boys, aussi fut-il surpris lorsqu'elle déclara :

« J'ai deux ou trois oncles qui vivent là-bas avec leur famille. À South Tucson, c'est ça ? Je ne les ai pas vus depuis des années.

– C'est un monde à part, South Tucson.

– Los Angeles aussi, non ? »

C'en était un pour lui.

En était-ce encore un pour elle ?

Ou pour le gosse tout ensommeillé qui émergea de la chambre ?

« C'est votre fils ? dit-il.

– Oh, c'est compris dans le loyer. L'immeuble grouille de cafards et de mômes. Vous auriez intérêt à inspecter vos placards et à jeter un coup d'œil sous le plan de travail de la cuisine. »

Elle se leva et cala l'enfant sur son bras.

« Voici Benicio.

– J'ai quatre ans, annonça l'intéressé.

– Et je suis têtu comme une mule quand il s'agit d'aller au lit, ajouta Irina.

– Et toi, t'as quel âge ? interrogea Benicio.

– Bonne question, répondit le Chauffeur. Tu permets que je téléphone à ma maman pour me renseigner ?

– Pendant ce temps-là, enchaîna Irina, on va aller chercher un cookie et un verre de lait à la cuisine. »

Quelques minutes plus tard, tous deux revenaient.

« Alors ? lança Benicio.

– Vingt ans, j'en ai bien peur », déclara le Chauffeur.

Il ne les avait pas, mais c'est ce qu'il racontait à tout le monde.

« T'es vieux, dis donc ! »

Réaction attendue.

« Désolé. Mais peut-être qu'on peut quand même devenir copains ?

– Peut-être.

– Votre mère est toujours en vie ? » demanda Irina après qu'elle eut recouché son fils.

C'était plus facile de répondre non que de tout expliquer.

Elle lui dit qu'elle était désolée, et quelques instants plus tard, voulut savoir ce qu'il faisait dans la vie.

« Vous d'abord.

– Ici, sur la terre promise ? Une carrière trois étoiles. Du lundi au vendredi, je suis serveuse dans un restaurant salvadorien sur Broadway pour le salaire minimum plus les pourboires – des pourboires laissés par des clients à peine mieux lotis que moi. Trois soirs par semaine, je fais le ménage dans des maisons et des appartements à Brentwood. Le week-end, je passe l'aspirateur et le chiffon à poussière dans des bureaux. Allez, à votre tour.

– Je bosse dans le cinéma.

– Ben voyons.

– Je suis chauffeur.

– Ah, vous conduisez des limousines ?

– Non, je suis cascadeur.

– Pour les poursuites en voiture, les trucs comme ça ?

– Tout juste.

– Waouh ! Ça doit vous rapporter gros.

– Pas vraiment. Mais c'est régulier. »

Le Chauffeur lui raconta comment Shannon l'avait pris sous son aile, lui avait enseigné ce qu'il avait besoin de savoir et lui avait décroché ses premiers contrats.

« Vous avez de la chance d'avoir rencontré quelqu'un comme lui, observa Irina. Moi, ça ne m'est jamais arrivé.

– Et le père de Benicio ?

– On est restés mariés quoi, dix minutes ? Il s'appelle Standard Guzman. La première fois que je l'ai rencontré, je lui ai demandé : "Parce qu'il y a un De Luxe Guzman dans le coin ?" Il m'a regardée sans comprendre.

– Il fait quoi ?

– Ces derniers temps, il a surtout donné dans le social en fournissant du boulot aux employés de l'État. »

Cette réponse dérouta le Chauffeur. En voyant son expression, Irina précisa :

« Il est sous les verrous.

– En prison, vous voulez dire ?

– C'est exactement ce que je veux dire.

– Depuis combien de temps ?

– Il sortira le mois prochain. »

À la télé, sous les seins impressionnants et à moitié dénudés de sa blonde assistante, un brun trapu en redingote lamé argent effectuait des tours de magie de salon. Des balles apparaissaient et disparaissaient entre des tasses renversées, des cartes sautaient du jeu, des colombes battant des ailes surgissaient de casseroles.

« C'est un voleur – un vrai pro, comme il le répète tout le temps, expliqua Irina. Il a commencé par cambrioler des baraques quand il avait quatorze, quinze ans, et ensuite, il a continué sur sa lancée. On l'a arrêté alors qu'il braquait une banque de dépôt. Deux inspecteurs de la police locale s'y trouvaient au même moment. Ils apportaient leur paie. »

Standard sortit bel et bien le mois suivant. Et malgré les protestations d'Irina, ses affirmations catégoriques selon lesquelles ça n'arriverait pas, oh non, il n'en était pas question une seule seconde, il rentra au bercail. (« Qu'est-ce que je peux faire ? se défendit-elle. Il l'aime, ce garçon. Et où pourrait-il aller ? ») Le Chauffeur et elle passaient beaucoup de temps ensemble, à cette époque, ce qui ne paraissait pas déranger Standard le moins du monde. La plupart des soirs, cependant, longtemps après qu'Irina et Benicio étaient allés se coucher, les deux hommes s'installaient au salon pour regarder la télé. Des tas de vieux films qu'on ne voit jamais que tard dans la nuit.

Ainsi, un mardi soir, ou plutôt un mercredi matin, ils étaient assis tous les deux devant un film policier, *Glass Ceiling*, quand une coupure publicitaire interrompit l'action.

« Rina m'a raconté que tu conduisais. Pour le cinéma, c'est ça ?

— C'est ça.

— Tu dois sacrément toucher.

— Je me débrouille.

— Les horaires de bureau, tu connais pas, hein ?

— C'est un des avantages.

— T'as quelque chose de prévu, demain ? Enfin, je veux dire, aujourd'hui.

— Non, rien. »

Après s'être frayé un chemin à travers un fouillis de publicités pour des marchands de meubles, des magasins de literie, des assurances à taux avantageux, des services de vaisselle de vingt pièces et des vidéocassettes sur les grands moments de l'histoire américaine, le film reprit son cours.

« Bon, je crois que je peux te parler franchement », déclara Standard.

Le Chauffeur hocha la tête.

« Puisque Rina te fait confiance, j'en déduis que je peux te faire confiance aussi… Tu veux une autre mousse ?

— Toujours. »

Standard passa à la cuisine, d'où il en rapporta deux. Il tira la languette de la première et la tendit au Chauffeur.

« Tu sais dans quoi je bosse, pas vrai ?

— Plus ou moins. »

Après avoir ouvert sa canette, Standard avala une gorgée de bière.

« OK. Alors, voilà le topo. J'ai un boulot aujourd'hui, un truc sur le feu depuis déjà pas mal de temps. Mais mon chauffeur habituel a été… disons, retenu.

– Comme lui ? » lança le Chauffeur en indiquant de la tête l'écran de télé, où un suspect subissait un interrogatoire.

Les pieds avant de la chaise sur laquelle il était assis avaient été rabotés pour la rendre particulièrement inconfortable.

« Mouais, sûrement, répondit Standard. Du coup, je me demandais si t'accepterais de prendre sa place.

– Pour conduire ?

– C'est ça. On part de bonne heure le matin. C'est… »

Le Chauffeur l'interrompit d'un geste.

« J'ai pas besoin de le savoir, et de toute façon, je veux pas le savoir. Je serai ton chauffeur, point final.

– Ça me va. »

Au bout de trois ou quatre minutes de film, les publicités s'imposèrent de nouveau. Gril miracle. Plaques commémoratives. Les plus grands tubes de tous les temps.

« Je t'ai déjà dit combien tu comptais pour Rina et Benicio ? lança Standard.

– Je t'ai déjà dit que t'étais un sacré connard ?

– Nan, répondit Standard, mais c'est pas grave. T'es bien le seul. »

Ils éclatèrent de rire.

11

Pour ce premier boulot, le Chauffeur empocha presque trois mille dollars.

« T'as du nouveau ? demanda-t-il à Jimmie, son agent, le lendemain.

— Je vais passer deux ou trois coups de fil.

— Pour des castings de masse, hein ?

— Tout juste.

— Et c'est pour ça que je te refile quinze pour cent ?

— Bienvenue sur la terre promise.

— Avec les sauterelles et tout le bazar. »

Dès la fin de la journée, pourtant, le Chauffeur avait deux contrats en attente. Le bruit commençait à se répandre, expliqua Jimmie. Pas seulement qu'il était capable de piloter – la ville était pleine de types qui savaient piloter –, mais qu'il était là quand on avait besoin de lui, qu'il ne regardait jamais l'heure, ne faisait jamais de vagues, assurait toujours. « Ils savent que t'es un pro, pas un dur ou un petit con prêt à tout pour se tailler une réputation, dit Jimmie. C'est toi qu'ils vont demander. »

Comme le premier tournage ne débuterait que la semaine suivante, le Chauffeur décida de pousser jusqu'à Tucson. Il n'avait pas revu sa mère depuis qu'on l'avait arrachée à son fauteuil bien des années plus tôt. À une époque où il n'était guère plus qu'un gamin.

Pourquoi maintenant ? Il n'en avait pas la moindre idée.

À mesure qu'il roulait, le paysage changeait peu à peu autour de lui. D'abord, les vieilles rues fantaisistes du centre de Los Angeles cédèrent la place au dédale incompréhensible de banlieues et de villes secondaires, auquel ne succéda rien de particulier à part l'autoroute pendant un long moment. Stations-service, Denny's, Del Tacos, supermarchés discount, dépôts de bois. Arbres, murs, clôtures. À ce stade, la Galaxie avait été remplacée par une Chevy vintage dotée d'un capot assez grand pour servir de piste d'atterrissage et d'une banquette arrière assez large pour y loger une famille entière.

Il s'arrêta prendre son petit-déjeuner dans un Union 76 et regarda les camionneurs assis dans un coin spécial devant des assiettes de steaks et d'œufs, de rosbif, de pain de viande, de poulet frit, d'escalopes de poulet panées. Dans la grande tradition américaine de la bouffe d'autoroute. Les routiers, l'incarnation ultime du rêve américain tenace de liberté absolue, perpétuellement en quête de territoires sauvages.

Le parking sur lequel il gara la Chevy jouxtait un édifice qui ressemblait beaucoup, par son aspect et son odeur, aux annexes où avaient lieu les cours de catéchisme quand il était gosse. Construction à moindres frais, murs d'un blanc terne, sol de ciment brut.

« Vous êtes venu voir… ?

– Sandra Daley. »

La standardiste étudia son écran. Ses doigts dansaient sur un clavier fatigué.

« Je ne crois pas… Ah, si. La voilà. Et vous êtes… ?

– Son fils. »

Elle décrocha le téléphone.

« Allez donc vous asseoir, monsieur. On va venir vous chercher. »

Quelques minutes plus tard, une jeune Eurasienne en blouse blanche amidonnée et jean en dessous ouvrit les portes verrouillées. Les talons plats de ses sandales en bois claquaient sur le sol.

« Vous voulez voir Mme Daley ? »

Le Chauffeur hocha la tête.

« Et vous êtes son fils, c'est ça ? »

Nouveau hochement de tête.

« Désolée, je vous prie d'excuser ces mesures de précaution, mais nos archives montrent que durant toutes ces années, Mme Daley n'a jamais reçu de visite. Puis-je vous demander une pièce d'identité ? »

Le Chauffeur lui montra son permis. À l'époque, il en avait encore un qui n'était pas falsifié.

Deux yeux en amande survolèrent le document.

« Encore une fois, dit-elle, je vous prie de m'excuser.

– Pas de problème. »

Au-dessus des yeux en amande, les sourcils étaient naturels, presque droits et légèrement broussailleux. Il s'était toujours demandé pourquoi les Latinas épilaient les leurs pour dessiner à la place de fins substituts recourbés. Changez et le monde changera ?

« Je suis au regret de vous l'annoncer : votre mère est morte la semaine dernière. Elle avait pas mal de problèmes, mais c'est finalement une insuffisance cardiaque congestive qui l'a emportée. Une infirmière vigilante a constaté le changement clinique ; en moins d'une heure, on l'avait placée sous respirateur artificiel. Malheureusement, il était déjà trop tard. Comme souvent… »

Elle lui effleura l'épaule.

« Je suis navrée. Nous avons tenté de joindre sa famille. Mais apparemment, les numéros que nous avions n'étaient plus en service depuis longtemps. » Elle scruta le visage du Chauffeur, cherchant un indice quelconque. « Rien de ce que je pourrai dire ne vous aidera beaucoup, j'en ai peur.

– Ne vous en faites pas, docteur… »

Habituée dès l'enfance aux langues tonales, elle perçut la note interrogative à la fin de la phrase. Il ne s'en était même pas rendu compte.

« Park, précisa-t-elle. Docteur Park. Amy. »

Tous deux tournèrent la tête au moment où une civière apparaissait au bout du couloir. Une barge sur le fleuve. *African Queen*. Une infirmière chevauchait le patient, lui comprimant la poitrine.

« Merde ! s'exclama-t-elle. Je viens de sentir une côte se briser.

— Je la connaissais à peine, reprit le Dr Parker. Je pensais juste…

— Je dois y aller. »

Sur le parking, il s'adossa à la Chevy, laissant son regard dériver vers les chaînes de montagnes autour de Tucson. Catalinas au nord, Santa Rita au sud, Rincon à l'est, Tucson à l'ouest. La ville tout entière était un immense compas. Comment était-il possible de s'égarer en un tel lieu ?

12

Les deuxième et troisième casses avec le mari d'Irina se déroulèrent sans encombre. Enfoui sous des chaussures et des vêtements sales au fond de la penderie, le sac de sport du Chauffeur engraissait.

Puis ils se lancèrent dans l'opération suivante.

Au début, les choses se présentèrent bien. Tout était parfaitement en place, tout roulait, tout se passait comme prévu. La cible était une petite officine indépendante proposant des encaissements de chèques et des avances sur salaire. Elle se blottissait dans un recoin oublié d'un centre commercial construit dans les années soixante, à côté d'un cinéma désaffecté encore orné d'affiches sous verre de films de science-fiction et de thrillers réalisés à l'étranger, mettant en vedette des acteurs américains au chômage. De l'autre côté, se trouvait un prêteur sur gages aux horaires tellement farfelus qu'il n'avait pas pris la peine de les afficher. Ses vraies affaires, il les traitait à la porte de derrière. Des parfums d'ail, de cumin, de coriandre et de citron venus d'un magasin de falafels embaumaient les environs.

Ils entrèrent à neuf heures, dès l'ouverture. Juste après le lever du rideau métallique. Il n'y avait que les employés, des gars qui touchaient un salaire minimum sans rien pour les motiver, le patron ne se pointant jamais avant dix heures, voire plus tard. À ce moment de la journée, même s'il y avait une alarme, on pouvait être sûr que la police serait coincée dans les embouteillages.

Malheureusement, les flics surveillaient le prêteur sur gages, et l'un d'eux, en phase terminale d'ennui, jeta par hasard un coup d'œil à Check-R-Cash au moment où l'équipe de Standard investissait les lieux. Il avait le béguin pour la grande Latina au guichet.

« Et merde.

– Quoi ? T'as plus la cote avec elle ? »

Il raconta à ses collègues ce qu'il avait vu.

« Bon, qu'est-ce qu'on fait ? »

Ce n'était pas du tout le coup de filet prévu, loin s'en fallait.

DeNoux étant l'officier le plus âgé, c'était à lui de prendre la décision. Il passa une main dans ses cheveux gris en brosse.

« Vous en avez autant marre que moi de cette mission, les gars ? » demanda-t-il.

Marre de bouffer des saloperies ? Marre de cuire à longueur de journée dans la camionnette ? Marre de pisser dans des bouteilles ? Franchement, de quoi pourraient-ils en avoir marre ?

« Compris. OK, on y va. »

Le Chauffeur vit le commando jaillir de l'arrière de la camionnette et charger le Check-R-Cash. Sachant qu'ils concentraient toute leur attention devant eux, il recula de derrière la benne à ordures. Il ne lui fallut que quelques instants pour descendre de la voiture, dont le moteur tournait toujours, et aller crever les pneus de la camionnette. Ensuite, il s'arrêta devant le magasin. Coups de feu à l'intérieur. Trois gars étaient entrés. Deux ressortirent et se jetèrent sur la banquette arrière tandis qu'il embrayait puis, pied au plancher, traversait le parking. Un de ses passagers avait reçu une blessure mortelle.

Aucun des deux n'était Standard.

13

« T'as déjà pris le porc au yucca, c'est ça ?

– Oh, pas plus de vingt fois, répondit le Chauffeur. Chouette gilet, à propos ! Il est neuf ?

– T'es un comique, toi. »

En ce tout début de soirée, alors qu'il n'était même pas encore six heures, Gustavo était déjà bondé. Manny plissa les yeux quand Anselmo fit glisser une bière Modelo devant lui. Chaque fois qu'il quittait sa grotte, il se sentait agressé par la lumière trop crue.

« *Gracias*.

– Comment va l'écriture ? demanda le Chauffeur.

– Bah, toujours pareil. On reste le cul sur une chaise toute la journée pour orchestrer le désastre final. Et une fois la bagnole ou le scénario passé pardessus bord, on remet ça. » Il termina sa bière en deux lampées. « Allez, ras-le-bol de cette cochonnerie. Il est temps de se faire plaisir. » Il retira une bouteille de son sac à dos. « C'est nouveau, ça vient d'Argentine. Un cépage malbec. »

Anselmo se matérialisa avec des verres à vin. Manny les remplit puis en poussa un devant le Chauffeur. Tous deux s'accordèrent une première gorgée.

« J'ai bien choisi ? » Il le goûta encore une fois. « Oh oui, j'ai bien choisi. » Se raccrochant au verre comme à une bouée, Manny regarda autour de lui. « T'avais déjà pensé que ta vie prendrait ce tour-là ? Non que je sache grand-chose de ta vie, à vrai dire.

– Je ne suis pas sûr d'y avoir beaucoup réfléchi. » Manny leva son verre pour scruter la surface sombre du liquide, puis l'inclina comme un niveau de maçon.

« Je devais devenir le nouveau grand écrivain américain, reprit-il. Je n'en doutais pas un seul instant. J'avais publié tout un tas de nouvelles dans des revues littéraires. Là-dessus, quand mon premier roman est sorti, il a renforcé la crédibilité des défenseurs de la terre plate : il est tombé du bord du monde. Le second n'a même pas eu assez d'énergie pour crier quand il a fait le grand plongeon. Et toi ?

– Moi, j'essayais surtout de tenir du lundi au mercredi. D'échapper à mon grenier, d'échapper à mes dettes, d'échapper à la ville…

– Vaste programme.

– Non, juste une existence ordinaire.

– Je ne supporte pas les existences ordinaires.

– Tu ne supportes rien.

– Permettez-moi de vous contredire, m'sieur. C'est une grave erreur d'appréciation. Même s'il est possible que je n'aie pas d'inclination particulière pour le système politique américain, les films hollywoodiens, l'édition new-yorkaise, la dernière demi-douzaine de présidents, tous les films sortis depuis dix ans à l'exception de ceux des frères Coen, les

71

journaux, la parlotte à la radio, les bagnoles américaines, l'industrie de la musique, le cirque médiatique, la mode du moment…

– Une liste assez impressionnante.

– … j'ai en revanche pour bien des choses une passion frisant la vénération. Cette bouteille de vin, par exemple. Le climat à Los Angeles. Ou les plats qui vont arriver. » Il remplit de nouveau leurs verres. « T'as du boulot ?

– La plupart du temps, oui.

– Tant mieux. Comme quoi, ça a du bon, le cinéma. Au moins, contrairement à beaucoup de parents aujourd'hui, il subvient aux besoins des siens.

– Aux besoins de certains, disons. »

Fidèles à eux-mêmes, les plats furent à la hauteur des souvenirs et des espérances. Les deux hommes se rendirent ensuite dans un bar proche – bière pour le Chauffeur, brandy pour Manny. Un petit vieux qui baragouinait anglais fit irruption dans la salle avec un accordéon fatigué et s'installa pour jouer des tangos et des airs de sa jeunesse, des chansons parlant d'amour et de guerre, pendant que les clients lui payaient des verres et posaient des billets dans l'étui de son instrument et que des larmes roulaient sur ses joues.

Vers neuf heures, le débit de Manny était devenu traînant.

« Je crois que ma grande sortie en ville va s'arrêter là… Avant, j'étais capable de tenir toute la nuit.

– Je peux te ramener chez toi, si tu veux.

– Évidemment que tu peux. »

« J'ai encore un truc à te dire, reprit Manny quand ils se garèrent devant son bungalow. Faut que j'aille à New York la semaine prochaine. Et je vole pas.

– Tu parles ! C'est tout juste si t'arrives à ramper. »

Peut-être le Chauffeur commençait-il à ressentir les effets de l'alcool, lui aussi.

« Quoi qu'il en soit, enchaîna Manny, je me demandais si t'accepterais de m'y conduire. Je paie bien.

– Je vois pas comment je pourrais. J'ai des tournages prévus. De toute façon, même si je pouvais, j'accepterais jamais ton fric. »

Après s'être laborieusement extirpé du véhicule, Manny se pencha vers la vitre baissée :

« Penses-y quand même, d'accord ?

– D'accord. Pourquoi pas ? Tâche de dormir un peu, vieux. »

Dix rues plus loin, une voiture de patrouille apparut dans le rétroviseur du Chauffeur. Attentif à ne pas dépasser la vitesse autorisée et à mettre son clignotant longtemps avant de tourner, il finit par s'arrêter sur le parking d'un Denny's, face à la rue.

Le flic continua tout droit. Il patrouillait en solo. Vitre baissée, gobelet de café acheté au 7-Eleven dans une main, radio grésillante.

Le café, ce n'était pas une mauvaise idée.

Puisqu'il était là, songea le Chauffeur, autant qu'il s'en paie un.

14

De l'intérieur lui parvint la plainte d'un saxo-
phone mortellement blessé. En matière de musique,
Doc avait des goûts à part.

« Ça fait un bail, annonça le Chauffeur quand la
porte s'ouvrit, révélant un nez semblable à un cham-
pignon boursouflé et des yeux soulignés de poches
gonflées.

– J'ai l'impression que c'était hier, répliqua Doc.
Tu me diras, j'ai toujours l'impression que c'était
hier. Quand j'arrive à m'en souvenir, évidemment. »

Puis il resta planté là. Le saxo continuait de
geindre derrière lui. Quand Doc jeta un coup d'œil
dans la direction du son, le Chauffeur crut un instant
qu'il allait crier à l'instrument de la fermer.

« Plus personne joue comme ça, aujourd'hui »,
murmura Doc avec un soupir.

Il baissa les yeux.

« Tu dégoulines sur mon paillasson.

– T'as pas de paillasson, objecta le Chauffeur.

– Non, mais avant, j'en avais un. Chouette, en
plus. Marqué *Bienvenue*. Et puis, les autres se sont
mis en tête que c'était sincère. » Bruit étranglé – un
rire, peut-être ? « Tu pourrais être le livreur de sang,

tu sais. Comme le livreur de lait. En train de faire sa tournée. Les gens sortiraient leurs bouteilles, tu vois, avec la liste de ce qu'il leur faut fourrée dans le goulot. Un demi-litre de plasma, deux litres de sang total, un petit conteneur de concentré globulaire… J'ai pas besoin de sang, m'sieur le livreur.

— Mais moi je vais en avoir besoin, et pas qu'un peu, si tu me laisses pas entrer. »

Doc recula, l'ouverture de la porte s'élargit. Il vivait dans un garage quand le Chauffeur et lui s'étaient rencontrés. Aujourd'hui, il vivait toujours dans un garage. Plus grand, cependant ; le Chauffeur voulait bien l'admettre. Doc avait passé la moitié de sa vie à prescrire à la faune d'Hollywood des médicaments dont elle détournait l'usage thérapeutique, avant qu'on lui interdise d'exercer et qu'il aille s'établir en Arizona. D'après la rumeur, il avait une propriété dans les hauteurs avec tellement de chambres que personne, pas même lui, ne savait qui les occupait. Certains invités qui s'aventuraient dans les escaliers au cours des soirées, disait-on, ne reparaissaient plus pendant des jours.

« T'en veux ? demanda-t-il en saisissant un pichet de deux litres de bourbon générique.

— Pourquoi pas ? »

Doc lui tendit un gobelet à moitié rempli tellement gras au toucher qu'il aurait pu être enduit de vaseline.

« Santé, dit le Chauffeur.

— Ce bras-là m'a pas l'air trop brillant.

— Tu trouves ?

— Si tu veux, je peux l'examiner.

— J'ai pas appelé pour prendre rendez-vous.

— Je vais tenter de te caser quand même dans mon emploi du temps. »

Le Chauffeur le regarda laisser tomber les apparences.

« Ça fait plaisir de pouvoir encore servir à quelque chose », ajouta Doc.

Déjà, il s'activait dans la pièce, rassemblant divers objets. Quelques-uns de ces objets, qu'il aligna avec le plus grand soin, faisaient un peu peur à voir.

Tout en aidant le Chauffeur à ôter sa veste, puis en découpant aux ciseaux la chemise trempée de sang et le T-shirt collant en dessous, Doc sifflotait faux, les yeux plissés.

« Ma vue n'est plus ce qu'elle était. » Sa main tremblait quand il approcha de la plaie un hémostat. « Mais bon, comme tout le reste, hein ? »

Il sourit.

« Ça me rappelle le bon vieux temps. Tous ces groupes de muscles. Je lisais le traité d'anatomie de Gray jusqu'à l'obsession quand j'étais au lycée. Je le trimballais partout, ce foutu bouquin, comme une bible.

— Pour suivre les pas de ton père ?

— Même pas ! Mon paternel était du genre Américain moyen à quatre-vingt-six pour cent et vrai con à cent pour cent. Toute sa vie, il a fourgué des cargaisons de meubles à crédit à des familles dont il savait qu'elles n'en avaient pas les moyens, juste pour pouvoir récupérer la marchandise et exiger des pénalités. »

Après avoir ouvert un flacon de Betadine, Doc laissa tomber le bouchon dans une casserole, puis attrapa un paquet de carrés de coton qui suivirent le même chemin. Il en récupéra un avec deux doigts.

« Ma mère était péruvienne. Comment ils avaient pu se rencontrer, alors là, ça me dépasse, vu le genre de milieu que fréquentait mon père. Dans son pays, elle était sage-femme et *curandera*. Une guérisseuse, quoi. Quelqu'un d'important dans la communauté. Ici, elle s'est transformée en une espèce de Donna Reed.

— À cause de lui ?

— De lui. De la société. De l'Amérique. Des attentes qu'elle-même avait. Qui sait ? »

Doc nettoya délicatement la blessure.

Ses mains ne tremblaient plus.

« La médecine était le grand amour de ma vie, la seule femme dont j'aie jamais eu besoin ou que j'aie jamais courtisée… Mais ça fait un bail, comme tu dis. J'espère que j'ai pas oublié la technique. »

Il assortit cette remarque d'un grand sourire tout de dents jaunies.

« Détends-toi », dit-il. Il orienta une lampe de bureau bon marché vers le bras du Chauffeur. « Je te taquinais, c'est tout. »

L'ampoule de la lampe vacilla, s'éteignit puis revint à la vie quand Doc la ranima d'une chiquenaude.

Après avoir avalé une grande lampée de bourbon, il tendit le pichet au Chauffeur.

« Tu crois pas que le disque est rayé ? lança-t-il.

J'ai l'impression d'entendre la même chose depuis un bon bout de temps. »

Le Chauffeur se concentra. Comment le saurait-il ? Oui, c'était apparemment la même phrase musicale. Plus ou moins.

De la tête, Doc indiqua le pichet.

« Tu devrais te resservir, mon garçon. Y a de bonnes chances pour que t'en aies besoin. Pour qu'on en ait besoin tous les deux, à vrai dire, avant que tout soit terminé. Bon, t'es prêt ? »

Non.

« Oui. »

15

Comme toujours, les préparatifs absorbèrent la plus grande partie du temps. Vous passez cinq heures à tout mettre en place, et ensuite, vous prenez le volant pendant exactement une minute et demie. Pour le Chauffeur, cinq heures ou une minute et demie, c'était le même tarif. S'il s'agissait d'un film à gros budget, il passait la veille pour inspecter la voiture et l'essayer. Pour les productions à budget plus modeste, il le faisait en arrivant le jour du tournage, pendant que le reste de l'équipe s'activait pour organiser les choses. Après, il traînait avec les auteurs, les scénaristes et les acteurs de complément, profitant au maximum du buffet. Même sur les « tout petits » films (comme disait Shannon), il y avait toujours de quoi nourrir une ville de taille moyenne. Charcuterie, assortiment de fromages, fruits, pizzas, canapés, saucisses à la sauce barbecue, beignets, viennoiseries, sandwichs, œufs durs, chips, salsa, hors-d'œuvre à l'oignon, muesli, jus de fruit et eau minérale, café, thé, lait, boissons énergétiques, cookies, gâteaux divers et variés.

Ce jour-là, il conduisait une Impala dans une scène qui devait inclure : collision entre deux véhicules, tour du bootlegger, tour du bouilleur de cru, dérapage latéral. Normalement, le tournage aurait été divisé en séquences, mais en l'occurrence, le réalisateur voulait tenter de filmer toute la scène en temps réel.

Le Chauffeur était en cavale. Parvenu au sommet d'une colline, il découvrait un barrage, deux voitures de la police d'État arrêtées nez à nez.

Dans un tel cas de figure, on démarre presque à l'arrêt, en première ou en seconde. On arrive par la droite, jusqu'à une distance d'environ la largeur d'une voiture – une manœuvre qui revient à attaquer la poche au niveau de la quille de tête pour un *strike*. Au moment du choc, on roule à une vitesse de vingt-cinq à trente-cinq kilomètres/heure.

Tout se déroula à la perfection. Les deux voitures de police s'écartèrent sous l'impact, l'Impala fonça dans la brèche, et après l'avoir mise en crabe, le Chauffeur en reprit le contrôle en faisant cirer les pneus.

Mais ce n'était pas terminé. Une troisième bagnole de flics dévalait la colline. Quand il avait vu la scène, le conducteur était sorti de la route au sommet pour s'engager dans la pente, glissant et dégringolant à travers les arbres, soulevant des mottes de terre et de végétation, cognant le châssis plus d'une fois, et enfin, atteignant la route à cinquante mètres derrière le Chauffeur.

Celui-ci leva le pied, laissa le compteur retomber à environ trente-cinq kilomètres/heure, puis tourna le volant d'à peine plus d'un quart de tour. En même temps, il tira le frein à main et embraya.

L'Impala tournoya.

Quand elle eut effectué une rotation de quatre-vingt-dix degrés, le Chauffeur relâcha le frein, redressa le volant et écrasa la pédale d'accélérateur.

Il faisait maintenant face à la voiture qui arrivait droit sur lui.

Montant jusqu'à quarante-cinq kilomètres/heure, il parvint à la hauteur du flic – qui le suivit des yeux, l'air incrédule –, le croisa puis braqua brusquement à gauche. Rétrograda, accéléra, redressa le volant.

À présent, il se retrouvait derrière son pour-suivant.

Il reprit de la vitesse et, à exactement trente-cinq kilomètres/heure, heurta la voiture de patrouille à droite du feu arrière gauche. Elle partit en dérapage incontrôlé, le capot initialement pointé vers le nord s'orienta vers le nord-est quand les roues retrouvè-rent leur adhérence et l'emportèrent dans la direction où elle allait – à savoir, hors de la route.

À la surprise générale, la cascade se passa sans la moindre anicroche, la première prise fut la bonne. Le réalisateur brailla « Oui ! » quand les deux hommes descendirent de voiture. Salués par quelques applau-dissements de la part des cameramen, des badauds, des tâcherons, des techniciens, des parasites.

« Beau travail », commenta le Chauffeur.

Il avait déjà collaboré avec ce gars une ou deux fois. Patrick quelque chose. Visage lunaire d'Irlandais, bec de lièvre mal soigné, tignasse couleur paille. Avare de paroles, contrairement au cliché ethnique.

« Pareil pour vous », répondit-il.

**

Ce soir-là, dîner dans un restaurant de Culver City, un endroit bourré à craquer de meubles massifs de style Mission, avec des boucliers en plâtre et des épées en fer-blanc sur les murs, une moquette rouge et une porte d'entrée semblable à celles qu'on peut voir dans les châteaux forts de cinéma. Tout était neuf mais artificiellement vieilli. Tables et chaises patinées, poutres au plafond travaillées à l'acide, sols de ciment lissés à la polisseuse, émaillés de fissures creusées à dessein. Pourtant, en dépit du décor, les plats valaient le détour. À croire que deux ou trois générations de femmes s'affairaient en cuisine, préparant les tortillas à la main, s'accroupissant devant le feu pour faire griller poivrons et poulets.

Pour autant qu'il le sache, c'était peut-être le cas. Parfois, il se posait la question.

Le Chauffeur s'offrit d'abord quelques verres au bar. Où, en revanche, tout se voulait ouvertement neuf – Inox, bois ciré –, comme pour prendre le contre-pied de ce qui se trouvait derrière les portes de saloon. À la moitié de sa première bière, il se retrouva engagé dans une discussion politique avec son voisin.

N'ayant pas la moindre idée des affaires du moment, il improvisa au fur et à mesure.

82

Apparemment, le pays s'apprêtait à entrer en guerre. Des mots tels que « liberté », « libération » et « démocratie » faisaient régulièrement surface dans le discours de son interlocuteur, lui rappelant les publicités pour les dindes de Thanksgiving, devenues si simples à préparer : *Contentez-vous de les mettre au four et d'attendre que les petits drapeaux se dressent pour vous signaler qu'elles sont cuites.*

Lui rappelant aussi un homme de sa jeunesse.

Chaque jour, Sammy se baladait dans le quartier avec sa charrette à mule en criant « Bonnes affaires ! Bonnes affaires ! » Sa carriole croulait sous les objets dont personne n'avait besoin, dont personne ne voulait. Chaises à trois pieds, vêtements élimés, lampes magma, services à fondue et aquariums, vieux exemplaires du *National Geographic*. Jour après jour, année après année, Sammy poursuivait sa tournée. Pourquoi et comment, c'était un mystère pour tout le monde.

« Je peux me joindre à vous ? »

Le Chauffeur jeta un coup d'œil sur sa gauche.

« Une double vodka, sans glace », dit Standard au barman.

Il emporta son verre jusqu'à une table au fond de la salle en faisant signe au Chauffeur de le suivre.

« Je t'ai pas beaucoup vu, ces derniers temps. »

Le Chauffeur haussa les épaules.

« Je bosse.

– Y a une chance pour que tu sois disponible, demain ?

– Possible.

– J'ai un coup en vue. Une boîte d'encaissement. À l'écart des sentiers battus – à vrai dire, à l'écart de tous les sentiers. Au milieu de nulle part. Ils doivent recevoir la paie de la semaine – et du week-end – demain avant l'ouverture.

– Comment tu le sais ?

– Disons, par quelqu'un que j'ai rencontré. Quelqu'un de solitaire. Comme je vois les choses, on a besoin de cinq à six minutes maximum pour entrer et sortir. Une demi-heure plus tard, tu t'offres un beau plat de côtes pour le déjeuner.

– OK.

– T'as un véhicule ?

– J'en aurai un. La nuit ne fait que commencer. »

D'accord, il aurait préféré disposer d'un délai plus long. Mais d'un autre côté, il avait gardé un œil sur une Buick LeSabre dans le parking de l'immeuble voisin. La bagnole elle-même ne ressemblait pas à grand-chose, mais le moteur chantait.

« Marché conclu, alors. » Ils fixèrent l'heure et le lieu du rendez-vous. « Je t'invite à dîner ?

– Je suis pas contrariant. »

Tous deux commandèrent des steaks cuits à l'étouffée dans un mélange d'oignons, de poivrons et de tomates, avec garniture de haricots noirs, de riz relevé de piment, et de tortillas. Le tout arrosé d'une bière ou deux, puis retour au bar. Le poste de télévision avait été allumé entre-temps, mais par chance, on ne l'entendait pas. Une espèce de comédie stupide où des acteurs aux dents éblouissantes récitaient leurs répliques puis se figeaient le temps de laisser résonner les rires enregistrés.

Le Chauffeur et Standard burent en silence – deux hommes fiers capables de garder leurs opinions pour eux. Ni l'un ni l'autre n'éprouvaient le besoin ou la nécessité de faire la conversation.

« Rina pense le plus grand bien de toi, dit Standard après avoir commandé une dernière tournée. Et Benicio t'adore. Mais tu le sais déjà, pas vrai ?

– C'est partagé.

– Si un autre était devenu aussi proche de ma femme, je lui aurais ouvert la gorge depuis longtemps.

– C'est pas ta femme. »

Les boissons arrivèrent. Standard régla l'addition, à laquelle il ajouta un pourboire disproportionné. Il cultive ses relations, songea le Chauffeur. S'identifie à ces serveurs, connaît la géographie de leur univers. Les considère avec une certaine tendresse.

« Rina me dit toujours que j'attends trop peu de la vie, reprit Standard.

– Comme ça, au moins, tu ne risques pas d'être déçu.

– Je te l'accorde. »

Après avoir trinqué avec le Chauffeur, il but un coup et grimaça, les lèvres agacées par la brûlure de l'alcool.

« N'empêche, elle a raison. Mais pourquoi j'attendrais plus que ce que j'ai ici, devant moi ? Pourquoi n'importe lequel d'entre nous attendrait plus ? » Il vida son verre. « Bon, vaudrait mieux qu'on y aille.

Qu'on ait notre compte de sommeil pour être en beauté. Journée chargée demain blablabla. »

Dehors, Standard leva les yeux vers la lune pleine, puis observa les couples postés près des voitures et quatre ou cinq gamins en grande tenue de gang – pantalons portés bas sur les hanches, T-shirts trop larges, bandanas sur la tête – au coin de la rue.

« Mettons qu'il m'arrive quelque chose…, commença-t-il.

– Mettons.

– Tu pourrais t'occuper d'Irina et de Benicio ?

– Ouais… Ouais, je pourrais.

– Bien. » Ils avaient rejoint leurs voitures. Contrairement à son habitude, Standard tendit la main au Chauffeur. « À demain, mon ami. Prends soin de toi. »

Accordéon enthousiaste sur la station mexicaine quand le Chauffeur mit le contact. Retour à l'appartement du moment. Il ne parvenait jamais à se sentir chez lui dans ces logements, même s'il les occupait un certain temps. Il monta le volume.

Une musique pleine de gaieté.

Au moment où il démarrait, deux camions de pompiers passèrent dans la rue toutes sirènes hurlantes, suivis par un vieux break Chevy bleu ciel avec cinq ou six visages bruns collés aux vitres et une cage à poules attachée sur le toit.

La vie.

16

Il n'y avait rien dans la Chevy susceptible de lui fournir une piste. C'était juste une coquille vide. Aussi impersonnelle qu'un gobelet de café à emporter. Quoi qu'il en soit, le contraire l'aurait surpris.

S'il avait eu un moyen de vérifier auprès du service des cartes grises, il aurait sûrement découvert qu'elle était enregistrée sous un faux nom. Ou du moins, qu'elle avait été volée.

OK.

Mais un marché était un marché. Il respecterait sa parole.

En voyant que leurs hommes de main – le gros, l'albinos – ne rentraient pas, ceux qui les avaient envoyés expédieraient quelqu'un d'autre à leur suite. Il restait trop de questions en suspens, ce n'était qu'une question de temps avant que quelqu'un se fasse taper sur les doigts.

Ce qui lui donnait un avantage.

Le Chauffeur en déduisit que la meilleure solution consistait à déplacer la Chevy. À la laisser dans un endroit où elle serait difficile à trouver, mais pas trop quand même. Ensuite, il se planquerait dans les parages pour attendre.

Ainsi, deux jours durant, son bras lui faisant un mal de chien, comme si des poignards lui lacéraient la chair, de l'épaule au poignet, encore et encore, comme si une hache fantôme le pourfendait à chacun de ses mouvements, le Chauffeur resta posté en face du centre commercial où était la Chevy. Il se forçait pourtant à utiliser son membre blessé, ne serait-ce que pour saisir le café qu'il achetait 3,68 dollars le gobelet à un stand à l'entrée de la galerie marchande. Il se trouvait à Scottsdale, une banlieue résidentielle en direction de Phoenix où chaque communauté avait ses propres murs, où les grands magasins oscillaient sur un axe Neiman Marcus/Williams-Sonoma. Le genre d'endroit où une bagnole vintage comme la Chevy ne paraîtrait pas trop déplacée, à vrai dire, parmi les Mercedes et les BMW. Le Chauffeur l'avait garée en bordure du parking, dans l'ombre maigre d'un couple de palos verdes, pour la rendre plus facilement repérable.

Non que ce soit vraiment important à ce stade, mais il tenait à se conformer au scénario dans sa tête.

C'était le Maître d'Œuvre qui les avait tous piégés, bien sûr. Le doute n'était plus permis. Le Chauffeur avait vu Strong tomber – pour de bon, selon toute vraisemblance. Peut-être était-il dans le coup, ou peut-être, comme les autres, n'était-il qu'un pion, un leurre, un homme de paille. Pour Blanche, le Chauffeur n'avait aucune certitude. Elle aurait pu être impliquée aussi dès le départ, mais il n'en avait pas l'impression. Il l'imaginait plus volontiers faisant cavalier seul, restant à l'affût d'éventuelles opportunités, essayant de sortir du recoin où ils avaient tous les deux été acculés. Pour autant qu'il le sache, le Maître d'Œuvre était toujours dans le circuit. Mais en aucun cas il n'avait la carrure ou les couilles nécessaires pour confier le sale boulot à des gros bras de ce genre. Donc, il devait servir de paravent.

D'où la question : Qui allait se pointer ?

D'un instant à l'autre, une bagnole pouvait s'arrêter et déverser sa cargaison de nettoyeurs.

À moins que les grands patrons ne suggèrent, comme c'était parfois le cas, que le Maître d'Œuvre fasse le ménage derrière lui.

À neuf heures quarante au matin du troisième jour, alors que tous les vents de l'État avaient pris la tangente et que le bitume commençait à fondre, le bras pareil à une enclume brûlante, le Chauffeur songea : *OK, plan B*, en voyant le Maître d'Œuvre au volant d'une Crown Vic faire deux fois le tour du parking avant d'y entrer pour aller se garer juste après la Chevy. Il le vit ensuite descendre, balayer du regard les alentours puis s'approcher de la voiture en stationnement, une clé à la main.

Le Maître d'Œuvre déverrouilla la portière côté conducteur et se glissa sur le siège. Bientôt, il ressortit, se dirigea vers l'arrière et ouvrit le coffre. La moitié supérieure de son corps disparut sous le hayon.

« Le fusil est dans un sale état », dit le Chauffeur.

La tête du Maître d'Œuvre heurta le hayon quand il voulut se redresser et se retourner en même temps.

« Désolé. Remarque, Blanche ne vaut guère mieux. Mais je me suis dit que quelques accessoires te mettraient d'humeur nostalgique, t'aideraient à te rappeler certains trucs. Qu'ils te rendraient plus bavard. »

La main du Maître d'Œuvre s'éleva vers l'anneau dans son oreille droite. Le Chauffeur l'intercepta à mi-parcours et, de ses jointures, frappa juste au-dessus du poignet, au niveau d'un centre nerveux capable d'occulter toute sensation et de brouiller les messages entrants. C'était un cascadeur avec qui il avait bossé sur un film de Jackie Chan qui, pendant les pauses, lui avait appris le truc. Puis, comme s'il esquissait un pas de danse – pied droit en avant, glissade à gauche, pirouette sur les talons –, il fit une clé au Maître d'Œuvre. Un autre enseignement du même cascadeur.

« Relax, Max. Le type qui m'a montré cette prise m'a dit qu'elle était sans danger à court terme, expliqua-t-il. Au bout de quatre minutes, le cerveau baisse le rideau, mais jusque-là… »

Lorsque le Chauffeur desserra son étreinte, le Maître d'Œuvre s'effondra sur le sol. Sa langue saillait hors de sa bouche, et apparemment, il ne respirait plus. Un légiste aurait qualifié sa peau de bleue, mais en réalité, elle était grise. Partout sur son visage, des vaisseaux sanguins éclatés formaient de minuscules étoiles rouges.

« Il est toujours possible que je n'aie pas bien compris, évidemment. Après tout, ça ne date pas d'hier. »

Des élancements douloureux fusèrent dans le bras du Chauffeur quand il se pencha pour récupérer le portefeuille du Maître d'Œuvre. Il ne contenait pas grand-chose d'utile ou d'intéressant.

Autant aller jeter un coup d'œil à son véhicule.

À l'intérieur de la Crown Vic, le Chauffeur découvrit dans la boîte à gants une pochette de factures provenant de diverses stations-service, toutes situées en centre-ville – 7ᵉ Rue, McDowell, Central. Quatre ou cinq pages d'indications griffonnées à la hâte, presque illisibles, pour se rendre dans différents endroits à Phoenix et aux alentours. La souche d'un billet délivré par un établissement baptisé Paco Paco, une pochette d'allumettes au nom du *Philthy Phil's, Club à hôtesses*. Une carte de l'Arizona. Et une liasse de tracts maintenus par deux élastiques croisés.

NINO'S PIZZA

(RESTAURANT AU FOND)

719 E. Lynwood

(480) 258-1433

LIVRAISONS À DOMICILE

17

Il prenait toujours les premiers verres de la journée en dehors de chez lui. Il avait deux options : chez Rosie, sur Main Street, un long trajet à pied, ou au Rusty Nail, au coin de la rue. Il possédait une voiture mais son permis était passé à la trappe des années plus tôt et il n'aimait pas trop courir de risques inutiles. Chez Rosie était un bar de cols bleus ouvert dès six heures du matin. Quand on y commandait du bourbon ou du whisky, le barman ne s'embêtait pas à demander quelle marque, il n'y avait qu'une bouteille de chaque. Il n'avait pas non plus à se préoccuper de trucs comme les fenêtres, vu que l'endroit était une véritable grotte. Le Rusty Nail, avant tout un bar de stripteaseuses, ouvrait à neuf heures. Jusqu'aux environs de quinze heures, quand les filles commençaient à arriver et que la clientèle changeait (il s'était fait surprendre plus d'une fois), il était fréquenté par les mécaniciens d'une société d'entretien de camions située un peu plus loin dans la rue et par les bouchers de l'usine de conditionnement d'en face, dont beaucoup portaient encore leur tablier taché de sang. Aussi, la plupart du temps, les jours où ses jambes n'étaient pas trop flageolantes ou ses tremblements pas trop prononcés, préférait-il se rendre chez Rosie.

Tous les buveurs du petit matin étaient des habitués mais ils ne se parlaient pas. La plupart du temps, la porte était maintenue ouverte par une chaise, et lorsque quelqu'un entrait, les têtes pivotaient dans cette direction ; parfois, l'une d'elles esquissait un salut silencieux avant de se tourner de nouveau vers son verre. En général, Benny lui avait déjà posé un double sur le comptoir quand il l'atteignait. « Je vous ai pas vu, hier », lui arrivait-il de dire. Il lui servait toujours les deux premières boissons dans un verre sans pied de type long drink, jusqu'à ce que ses mains cessent de trembler. Ce matin-là, il débarqua plus tard que d'habitude. « Mauvaise nuit ? » demanda Benny. « Je n'ai pas pu fermer l'œil. » « Mon paternel mettait toujours ça sur le compte de la mauvaise conscience », déclara Benny. « Mouais, c'est toute la différence, répondit-il. Lui, il l'expliquait par la mauvaise conscience, et moi, par une mauvaise escalope de poulet panée. »

Quelqu'un lui tapa sur l'épaule.

« Doc ? Vous êtes Doc, hein ? »

Ignorer l'intervention.

« Bien sûr que c'est vous. Je vous paie un verre ? »

Peut-être pas, finalement.

Benny apporta au gars une autre Bud et servit un autre double à Doc.

« Parce que vous voyez, en fait, je vous connais. Je suis de Tucson. Je me rappelle, à l'époque, vous vous occupiez de tous les Chicanos du circuit. Y a quelques années de ça, vous avez retapé mon frangin après un casse dans une banque. Noel Guzman ? Un grand type, sec et noueux ? Les cheveux décolorés ? »

Il n'y avait aucune chance pour qu'il s'en souvienne. Il en avait soigné des dizaines en son temps.

« Je ne donne plus là-dedans.

– Mon frangin non plus, maintenant qu'il est mort. »

Doc éclusa son scotch.

« Condoléances.

– Bah, c'est pas une grosse perte – juste de la famille. »

Benny reparut avec la bouteille. Le jeune gars pouvait difficilement faire autrement que d'approuver une tournée. Son regard refléta une expression proche de l'horreur quand la somme de six dollars s'inscrivit sur la caisse enregistreuse puis, résigné, il secoua la tête. Benny glissa la note sous un cendrier sur le comptoir près d'eux.

« Il y est resté en essayant de braquer l'épicerie vietnamienne du coin, expliqua le gamin. D'après les flics, il a même pas eu le temps de dire ouf que le petit bonhomme sautait par-dessus le comptoir et l'envoyait au tapis une demi-seconde plus tard, le cerveau privé de sang. Pas du tout la fin qu'il avait imaginée.

– Est-ce qu'on a jamais la fin qu'on imagine ?

– Mais bon, y a bien que lui qui a été surpris. »

Le gamin vida sa bière et parut sur le point d'en commander une autre. Pourtant, il hésita, car une telle initiative risquait d'impliquer un autre scotch à six dollars.

« La prochaine est pour moi », le rassura Doc.

Benny emporta le verre sans pied et posa devant lui un verre à shooter qu'il remplit. Doc s'en saisit d'une main qui ne tremblait pas.

« La même chose ? demanda le barman au gamin.

— Prenez ce que vous voulez, dit Doc.

— Une Bud, c'est parfait. »

Benny lui apporta une canette. Doc trinqua avec son verre vide et le gamin porta sa bière à ses lèvres.

« Alors comme ça… Vous vivez dans le coin, aujourd'hui ? »

Doc hocha la tête.

« Et vous faites quoi ?

— Je suis à la retraite.

— Ah bon ? Vous l'étiez déjà la première fois que je vous ai rencontré. »

Avec un haussement d'épaules, Doc réclama d'un geste un autre verre. Cette fois, il eut droit à un petit extra, pour finir la bouteille. Étrangement, le souvenir du combustible Sterno lui revint en mémoire. Un jour, quand il était gosse, il s'était aventuré derrière la maison, dans la jungle de pacaniers et de haies et, à la tombée de la nuit, enveloppé dans un sac de couchage particulièrement inconfortable provenant d'un surplus de l'armée, il avait essayé de faire frire du bacon avec une boîte de Sterno, ne réussissant qu'à se brûler le pouce.

« Parce que faut que je vous dise, j'ai un plan d'enfer. »

Ben voyons. Les types comme lui, qui vous abordaient dans un bar parce qu'ils vous connaissaient ou prétendaient vous connaître, avaient toujours un plan d'enfer et voulaient toujours en parler.

« Vous ne suivez pas les traces de votre frère, j'espère, marmonna Doc.

– Bah, vous savez ce que c'est, certaines familles produisent des toubibs à la chaîne, d'autres des avocats… »

Il ôta sa chaussure, souleva la semelle intérieure et retira deux billets de cent dollars qu'il posa sur le comptoir. Il en utiliserait une partie pour payer sa caution, ou comme preuve pour réfuter les accusations de vagabondage, pour acheter quelqu'un ou juste pour survivre – une vieille habitude de taulard.

Doc jeta un coup d'œil aux billets.

« Comment vous vous appelez, mon garçon ?

– Eric. Eric Guzman. Considérez ça comme un acompte.

– Pourquoi ? Vous pensez avoir besoin de soins bientôt ?

– Nan, pas moi. Je suis prudent. Je prévois tout à l'avance. »

Bon, peut-être toute la vie de ce gamin n'était-elle qu'un vaste non-sens. La bière ne pouvait pas lui avoir tourné la tête à ce point. Pas la Bud, et pas depuis seulement deux heures qu'il en ingurgitait. Levant les yeux, Doc vit les pupilles du gamin, grosses comme des têtes d'épingle. OK. Maintenant, ça s'expliquait.

« Tout prévoir à l'avance, c'est ma spécialité. Du coup, en cas de pépin, je saurai où m'adresser, pas vrai ? »

Ce gamin ne connaissait rien à rien. Comme tous ceux de sa génération. Ils se prenaient pour des hors-la-loi, tous autant qu'ils étaient. Prêts à défier la société, à se ruer dans tout ce qui allait à contre-courant.

Doc endura Eric Guzman pendant encore une demi-heure avant de s'excuser et de soulever sa carcasse du tabouret de bar pour rentrer chez lui. Il avait eu droit aux détails du « plan d'enfer » mis au point par le gamin. Ses copains et lui allaient braquer un magasin de matériel électronique sur Central, mais à la sortie de la ville, là où l'avenue se vidait peu à peu, où elle n'était plus bordée que par des entrepôts et des bâtiments du même genre. Le magasin organisait une opération promotionnelle durant le week-end, et Guzman en avait déduit que le dimanche, il n'y aurait qu'à se baisser pour ramasser le fric. Les agents de sécurité avaient tous cent dix ans au bas mot. Il avait déjà rassemblé son équipe, ne manquait plus qu'un chauffeur.

Miss Dickinson attendait, poussant des miaulements plaintifs, quand Doc s'engagea dans l'allée. Elle était entrée chez lui environ un an plus tôt, en fin d'après-midi, alors que la porte était ouverte, et depuis, il lui donnait à manger. Issue d'un croisement où dominait le persan bleu, elle avait perdu la moitié de l'oreille gauche et deux doigts à la patte avant gauche.

« Combien de repas t'as déjà pris aujourd'hui, miss D ? » demanda-t-il.

Il y avait quelque chose de troublant dans la régularité de ses visites ; il la soupçonnait de faire la tournée de toutes les maisons du quartier. Il n'en ouvrit pas moins une boîte de thon albacore qu'il plaça dans un coin de la cuisine où la chatte pourrait se gaver de son contenu sans avoir à la balader dans toute la pièce, ce qu'elle ferait de toute façon après l'avoir vidée.

Il n'avait rien rangé après la soirée de la veille. Bandes de tissu imprégnées de sang, compresses, bols d'eau oxygénée et de Betadine. Eau de Javel, aiguilles à coudre en Inox, flacons d'alcool.

C'était appréciable de se sentir à nouveau utile.

Il s'occupait de tout nettoyer quand Miss Dickinson, rassasiée, s'approcha pour voir ce qu'il fabriquait. Rebutée par la Javel et les détergents, elle resta également à l'écart de l'eau oxygénée et de la Betadine mais manifesta un intérêt évident pour la gaze, les bouts de tissu et le coton sanglants. À coups de patte, elle essaya de les retirer des saladiers et des poubelles en plastique où Doc les avait jetés.

Son nouveau patient reviendrait le vendredi pour un check-up. Doc craignait une infection. Mais à présent, il se demandait si l'infection n'était pas un moindre danger. Il allait devoir le mettre en garde contre Eric Guzman.

18

Pendant longtemps, après la mort de Standard, il n'accepta plus aucun boulot. Ce n'était pas faute de recevoir des propositions. Les nouvelles se répandaient vite. Il regardait beaucoup la télé avec Benicio, préparait des repas gargantuesques pour et avec Irina. « Technique de survie », répondit-il quand elle lui demanda comment il s'était débrouillé pour apprendre à cuisiner. Après, tout en râpant du parmesan frais pendant que des saucisses italiennes tiédissaient sur la planche à découper, il lui parla de sa mère. Ils trinquèrent. Un bon sauvignon blanc pas cher.

Une ou deux fois par semaine, il se rendait aux studios, faisait ce qu'on attendait de lui et se débrouillait pour rentrer avant que Benicio ne sorte de l'école. Les chèques que Jimmie lui envoyait tous les mois se multipliaient. Il aurait pu continuer comme ça indéfiniment. Mais rien de ce qui est en or ne dure, il se souvenait d'avoir lu ces mots dans un poème au lycée.

Non qu'à Los Angeles on puisse facilement le remarquer sans consulter un calendrier, et pourtant, l'automne arriva. Les nuits étaient fraîches et venteuses. Chaque soir, le soleil s'aplatissait à l'horizon, essayant héroïquement de tenir bon, puis disparaissait.

Un soir, rentrée des urgences où elle avait pris ses nouvelles fonctions de secrétaire, Irina leur servit du vin.

« À la santé de… »

Il se rappelait encore le verre qui tombait et se brisait en touchant le sol.

Il se rappelait encore l'étoile de sang sur le front d'Irina, la traînée rouge le long de sa joue alors qu'elle tentait de cracher quelque chose juste avant de s'effondrer.

Il se rappelait encore l'avoir rattrapée dans sa chute – et pendant longtemps, il ne se rappela pas grand-chose d'autre.

Règlement de comptes entre gangs, lui dirait la police plus tard. Une guerre de territoire, d'après ce qu'on sait.

Irina mourut juste avant quatre heures du matin.

**

Le Chauffeur n'ayant aucun droit sur lui, Benicio fut expédié chez des grands-parents à Mexico. Pendant plus d'un an, il écrivit toutes les semaines à l'enfant, et en retour, Benicio lui envoya des dessins. Le Chauffeur les scotchait au réfrigérateur de l'appartement où il vivait, quand il y avait un réfrigérateur. Pendant un moment, il ne cessa de bouger, déménageant tous les un ou deux mois, allant du vieil

Hollywood à Echo Park puis à Silverlake dans l'espoir de se changer les idées. Le temps passa, ce que fait toujours le temps, ce qui le caractérise. Et puis, un jour, le Chauffeur se rendit compte qu'il n'avait plus de nouvelles du gosse depuis un bon moment. Il essaya de téléphoner, mais le numéro n'était plus en service.

Détestant être seul, face à des appartements vides et à des heures creuses, le Chauffeur s'occupait. Il prenait tout ce qui se présentait et cherchait d'autres opportunités. Il décrocha même un rôle parlant dans un film quand, au bout d'une demi-heure de tournage, un acteur de complément tomba malade.

Le réalisateur lui expliqua la scène.

« Tu t'arrêtes près de ce gars planté là. Tu secoues la tête, comme si t'avais pitié de lui, ce pauvre enfoiré, tu sors de la bagnole et tu t'adosses à la portière. "À toi de voir", tu lui dis. Pigé ? »

Le Chauffeur hocha la tête.

« Ça dégoulinait de menace », dirait le réalisateur plus tard, pendant la pause déjeuner. Quatre mots – juste quatre petits mots de rien du tout ! C'était génial. Tu devrais penser sérieusement à exploiter tes talents. »

Il les exploita, mais pas dans le sens où l'entendait le réalisateur.

Standard traînait souvent dans un bar appelé le Buffalo Diner, tout près de Broadway, en plein centre de Los Angeles. On n'y servait plus à manger depuis Nixon, mais le nom était resté, de même que des fragments du dernier menu rédigé à la craie sur le tableau noir au-dessus du comptoir. Alors, le Chauffeur se mit à y passer ses après-midi. Engageant la conversation, payant quelques verres, mentionnant qu'il était un copain de Standard, demandant si quelqu'un avait besoin d'un chauffeur hors pair. Dès la deuxième semaine, il était devenu un habitué, connaissait les autres par leur nom et avait plus de propositions qu'il ne pouvait en accepter.

Entre-temps, comme il délaissait les tournages, les offres déclinaient.

« Je suis censé leur répondre quoi, à tous ces gens ? » demanda Jimmie les premières fois.

Quelques semaines plus tard, il changea de discours : « Ils veulent le meilleur. C'est ce qu'ils me répètent sans arrêt. »

Même l'Italien avec toutes les rides et les verrues sur le front avait appelé, raconta-t-il – en personne, pas par l'intermédiaire d'une secrétaire ou d'un quelconque sous-fifre. En personne, bordel !

« Écoute », disait le énième message de Jimmie. À ce stade, le Chauffeur avait cessé de décrocher. « J'imagine que t'es toujours vivant, sauf que je commence à m'en foutre un peu, tu vois. Maintenant, je réponds que j'ai l'impression d'avoir hérité d'un deuxième trou du cul. »

Son dernier message disait : « Bon, on s'est bien marrés, gamin, mais je viens de perdre ton numéro. »

19

D'une cabine, le Chauffeur appela le numéro inscrit sur les tracts. Le téléphone sonna longtemps à l'autre bout de la ligne – après tout, il était encore tôt. La personne qui décrocha enfin fut catégorique, du moins autant qu'on peut l'être dans un anglais approximatif : Nino's Pizza n'était pas encore ouvert, veuillez rappeler après onze heures merci.

« Je pourrais, c'est vrai, admit le Chauffeur, mais votre patron risque de ne pas apprécier quand il découvrira que vous l'avez fait attendre. »

Une formulation trop compliquée, apparemment.

« Vous devriez peut-être me passer quelqu'un qui parle un tout petit peu mieux anglais. »

Dans la rue, un sans-abri poussait un chariot de supermarché plein à ras bord. De nouveau, le Chauffeur pensa à Sammy et à sa charrette chargée d'objets dont personne ne voulait.

Une autre voix s'éleva dans le combiné.

« Je peux vous aider, monsieur ?

– J'espère. Il semblerait que j'aie en ma possession quelque chose qui ne m'appartient pas.

– Et ce quelque chose serait…

– Près d'un quart de million de dollars.

— Veuillez patienter, monsieur. »

Quelques instants plus tard, une voix gutturale résonna à l'autre bout de la ligne :

« Nino à l'appareil. Vous êtes qui, putain ? Dino me dit que vous avez un truc à moi ? »

Nino et Dino ?

« J'ai toutes les raisons de le croire.

— Ouais, bon, y a pas mal de gens qui ont des trucs à moi. J'ai des tas de trucs. C'est quoi votre nom, déjà ?

— Je préfère le garder. Je m'en sers depuis un bon bout de temps.

— Pourquoi pas ? Des noms, j'en ai pas besoin non plus. » Il se détourna pour crier : « Je suis au téléphone, là, merde ! Ça se voit pas ? » Puis, parlant de nouveau dans le combiné : « Alors, qu'est-ce que vous proposez ?

— Récemment, j'ai eu des affaires à régler avec un homme de chez vous qui conduisait une Crown Vic.

— C'est une bagnole populaire.

— Exact. Je voulais juste vous signaler qu'il ne traitera plus d'affaires. Même chose pour Blanche et Strong, du reste. Et pour les deux gentlemen ayant quitté pour la dernière fois une chambre qui n'était pas la leur dans un Motel 6 au nord de Phoenix.

— C'est pas des tendres, à Phoenix. »

Le Chauffeur l'entendait respirer à l'autre bout de la ligne.

« Vous êtes quoi, une putain d'armée ? marmonna son interlocuteur.

– Je conduis. C'est mon job. Tout ce que je sais faire.

– Ouais. Ben, j'ai comme l'impression que vous accordez une certaine valeur ajoutée au fric, si vous voyez ce que je veux dire.

– On est des professionnels. Quand on passe un accord, il faut le respecter. C'est comme ça que ça marche, si ça doit marcher.

– C'est ce que disait toujours mon paternel.

– Je n'ai pas compté, mais Blanche m'a dit qu'il y avait environ deux cent mille dollars dans le sac.

– Y a intérêt. Et vous me racontez tout ça parce que… ?

– Parce que c'est votre argent et votre sac. Vous n'avez qu'à demander, les deux peuvent être devant votre porte dans une heure. »

Le Chauffeur distingua en fond sonore un morceau à la fois pétillant et tout en rondeurs, peut-être du Sinatra.

« Vous n'êtes pas très doué pour ce genre de transaction, hein ?

– Dans mon boulot, je suis le meilleur. Ça, c'est pas mon boulot.

– Je vois. Et vous, qu'est-ce que vous en retirez ?

– Je me retire, justement. Quand vous aurez remis la main sur le fric, on sera quittes. Vous oubliez le Maître d'Œuvre et sa Crown Vic, vous oubliez les gros bras du Motel 6, vous oubliez qu'on a eu cette conversation. Personne ne me tombe dessus dans une semaine ou un mois pour me présenter vos respects. »

105

Le silence s'abattit à l'autre bout de la ligne. La musique s'éleva de nouveau en arrière-fond.

« Et si je refuse ? grommela Nino.

— Pourquoi vous feriez ça ? Vous n'avez rien à perdre et il y a un quart de million à la clé.

— C'est un bon argument.

— Marché conclu, alors ?

— Marché conclu. Dans moins d'une heure, donc… ?

— Tout juste. Rappelez-vous ce que disait votre paternel. »

20

Doc jeta éponges, tampons, seringues et gants dans un seau en plastique fait pour servir de poubelle de voiture et adapté aux tapis de sol. Après tout, il vivait dans un garage, non ? S'il avait vécu sur une île, il aurait utilisé des coques de noix de coco. Aucun problème.

« Voilà, dit-il. J'ai enlevé les fils, la cicatrice est propre. »

La mauvaise nouvelle, c'était qu'à partir de maintenant, son patient n'aurait plus beaucoup de sensations dans ce bras.

La bonne, c'était qu'il avait recouvré une mobilité totale.

Le Chauffeur lui tendit une liasse de billets entourée d'un élastique.

« Ce que je te dois. Si ce n'est pas suffisant…

— Je suis sûr que ça l'est.

— Ce n'est pas la première fois que tu me rafistoles, après tout.

— Une Ford de 1950, hein ?

— Mouais, comme celle que conduisait Mitchum dans *Thunder Road*. »

Elle datait de 1951, en réalité – ça se voyait au sigle V-8, à l'inscription *Ford Custom* sur le pare-chocs avant, au tableau de bord et au volant –, mais on avait ôté le couvre-joint chromé du pare-brise et ajouté une calandre de 1950. Doc n'était pas tombé trop loin.

« Tu t'étais crashé dans les piliers de la nouvelle bretelle d'autoroute qu'on venait de construire.

– J'avais oublié qu'ils étaient là. Ils n'y étaient pas les dernières fois où j'avais emprunté cette route.

– C'est parfaitement compréhensible.

– Sans compter que la bagnole se comportait de façon bizarre.

– Le genre de chose qui pourrait inciter un homme à ne pas voler la voiture de n'importe qui.

– *Emprunter*, plutôt. J'allais la rendre… Sérieux, Doc : t'as assuré mes arrières à l'époque et tu les assures encore aujourd'hui. Merci pour le tuyau sur Guzman. J'ai regardé les infos. Ils se sont fait descendre tous les trois sur les lieux du casse.

– Pas étonnant. Ce gamin, c'étaient les emmerdes assurées.

– Ils ne sont pas nombreux à vouloir s'associer avec un chauffeur manchot. J'étais désespéré, j'aurais accepté n'importe quoi à ce stade. Tu le savais. »

Mais Doc s'était retranché dans son monde, comme il le faisait quelquefois, et il ne répondit pas.

Miss Dickinson surgit, pattes de devant toutes droites au moment de toucher le sol, suivies par celles de derrière, rétablissant son équilibre comme un cheval à bascule, lorsque le Chauffeur prit congé. Doc lui avait parlé d'elle. Il la laissa entrer et referma la porte. Emportant la vision de la chatte patiemment assise aux pieds du maître des lieux.

Doc songeait à une histoire de Theodore Sturgeon qu'il avait lue. Ce type, un peu dérangé, vit comme lui dans un garage aménagé en appartement. C'est une brute épaisse, primaire, dépassée par l'existence. Mais il est capable de réparer tout et n'importe quoi. Un jour, il trouve une femme dans la rue. Elle a été rouée de coups, laissée pour morte. Il la ramène chez lui et – Sturgeon décrit avec un luxe de détails le drainage sanguin, les instruments chirurgicaux improvisés, les opérations étape par étape – la remet en état.

Quel était le titre, déjà ?

Ah oui, *Parcelle brillante*.

Si, dans la vie, on a l'occasion d'en découvrir une ou deux en soi – une ou deux de ces parcelles brillantes –, pensa Doc, alors on a de la chance. La plupart des gens n'en ont pas.

Et le reste n'était pas que silence, comme le disait cet opéra, *I Pagliacci*.

Le reste n'était que bruit.

21

Le meilleur job qu'avait jamais décroché le Chauffeur était sur un remake de *Thunder Road*. Et pour cause : les deux tiers du film se passaient sur la route. La véritable vedette, c'était cette Chevy de 56 avec lui au volant.

La production faisait partie de ces projets qui semblent se mettre en place à partir de rien, juste deux types assis dans un bar parlant de leurs films préférés. Ils étaient frères et avaient déjà réalisé quelques longs métrages mineurs, relativement rentables, destinés aux adolescents. Tous les deux étaient bizarres mais braves. L'aîné, George, s'occupait des relations avec l'extérieur, de la production, des fonds, des trucs comme ça. Son petit frère, Junie, se chargeait de presque toute la réalisation. Ils écrivaient les scénarios ensemble durant des nuits entières passées dans différents Denny's du centre de Los Angeles.

Ils évoquaient des scènes et des répliques de *Thunder Road* depuis trois ou quatre minutes quand ils se turent tous les deux au même moment.

« On pourrait le faire, dit George.

— Sûr qu'on pourrait essayer, en tout cas. »

Le lendemain, en fin de journée, sans rien sur le papier, sans synopsis, sans la moindre ébauche de début de scénario, sans aucune feuille de calcul ou prévision en vue, ils avaient tout bouclé. Accords de principe des investisseurs, un distributeur, la totale. Leur avocat se renseignait sur les droits et les autorisations.

Le facteur déterminant fut la participation du jeune acteur le plus en vue du moment, qui vouait une véritable passion à Robert Mitchum. « Bon sang, j'aurais rêvé d'être Bob Mitchum ! » avait-il dit juste avant de signer. Le Chauffeur avait travaillé sur le film qui l'avait propulsé au rang de star. C'était un petit con à l'époque et il ne s'était pas arrangé. Il ferait parler de lui encore un an ou deux avant de disparaître de la surface de la terre. Par la suite, son nom apparaîtrait de temps en temps dans les tabloïds – il était de nouveau en désintoxication, il préparait son come-back, il devait participer en guest star à un mauvais sitcom. Mais à l'époque, il était de ceux qu'on s'arrache, et avec lui à bord, tout le reste suivit.

Ce que beaucoup de gens ignorent à propos de la version originale, c'est que la Ford utilisée dans la scène du crash avait été équipée tout spécialement pour les besoins du film. On avait monté des pare-chocs blindés, renforcé le corps et la structure, boosté le moteur afin d'obtenir un maximum de puissance, pour s'apercevoir ensuite que des pneus normaux ne pouvaient pas supporter le poids et la vitesse ; ils avaient donc été remplacés par des modèles fabriqués exprès, en épais caoutchouc mousse. Toutes les voitures de bouilleurs de cru dans le film étaient authentiques. Elles appartenaient à des distillateurs clandestins de la région d'Asheville, en Caroline du Nord, qui les avaient vendues à la compagnie cinématographique pour pouvoir s'en acheter de nouvelles, plus rapides.

Le Chauffeur assurait la majeure partie des cascades, assisté par un certain Gordon Ligocki, un jeune type originaire de Gary, dans l'Indiana. Il avait une coiffure sortie tout droit des années cinquante, cheveux plaqués sur les côtés et coupés en pointe sur la nuque, portait une gourmette sur laquelle étaient gravés les mots *Votre nom* et parlait si doucement qu'il fallait lui demander de répéter la moitié de ses propos.

« (), dit-il le premier jour, au déjeuner.

— Pardon ? fit le Chauffeur.

— Je disais : tu conduis bien.

— Toi aussi. »

Ils gardèrent le silence un moment. Ligocki éclusait des canettes de Coca. Tout en mangeant ses sandwichs, puis ses fruits, et en buvant son café, le Chauffeur songeait que s'il faisait la même chose, il serait obligé de demander une pause au milieu des cascades pour aller pisser.

« ().

— Quoi ?

— Je disais : t'as de la famille ?

— Non, je suis tout seul, répondit le Chauffeur.

— Y a longtemps que t'es ici ?

— Quelques années. Et toi ?

— Ça va faire un an. C'est dur de connaître les gens, dans cette ville. Ils t'adressent la parole pour un oui ou pour un non, c'est vrai, mais apparemment, ça ne va jamais plus loin. »

Ils se reverraient de temps en temps pendant encore un an ou deux, pour aller boire un verre ou dîner quelque part, mais le Chauffeur n'aurait plus l'occasion d'entendre autant de mots d'un coup dans la bouche de Ligocki. Des soirées entières s'écouleraient sans rien ou presque pour ponctuer le silence entre « Alors, quoi de neuf ? » et « À la prochaine », ce qui leur conviendrait parfaitement à tous les deux.

Jamais le Chauffeur n'avait travaillé sur un film aussi dur. Ni aussi marrant. Une cascade en particulier lui demanda presque toute une journée d'efforts. Il était censé débouler à toute vitesse dans la rue, voir un barrage, et foncer vers un mur. À partir de là, il lui fallait incliner la voiture sur deux roues sans la retourner, aussi la vitesse et l'angle d'approche devaient-ils être extrêmement précis. Lors des deux premiers essais, il se retourna. Au troisième, il crut que c'était gagné, mais le réalisateur lui dit après coup qu'à la suite d'un incident technique, ils étaient obligés de tout recommencer. Quatre tentatives plus tard, il remplissait sa mission.

Le Chauffeur ignorait ce qui s'était passé, mais le film n'était jamais sorti. Une histoire de droits, peut-être, ou un problème juridique, il pouvait y avoir une bonne centaine de raisons. Après tout, la plupart des projets de tournage ne sont jamais concrétisés. Celui-là était dans la boîte, pourtant, et il valait le coup.

Allez savoir.

22

Six heures du matin, les premières lueurs de l'aube, le monde au-dehors recollait les morceaux, se reconstituait sous les yeux du Chauffeur.

Un battement de cils, et l'entrepôt de l'autre côté de la rue se matérialisa.

Un battement de cils, et la ville apparut au loin, tel un navire rentrant au port.

Des oiseaux voletaient en rouspétant d'arbre loqueteux en arbre loqueteux. Des voitures garées le long du trottoir embarquaient leur cargaison humaine puis s'éloignaient.

Assis dans son appartement, le Chauffeur buvait du scotch dans le seul verre qu'il avait gardé. Du Buchanan's, une composition milieu de gamme. Pas mauvais du tout. Très prisé des Latinos. Pas de téléphone ici, rien de valeur. Canapé, lit et chaises allaient avec le loyer. Fringues, rasoir, fric et autres affaires indispensables attendaient dans un sac marin près de la porte.

Tout comme une bonne bagnole attendait dans le parking.

Le téléviseur, il l'avait trouvé à côté des sacs d'ordures sur le trottoir quand il avait sorti verres,

114

assiettes et objets divers à jeter. *Pourquoi pas ?* avait-il pensé. Le poste était tout cabossé, doté d'un écran de dix centimètres, mais il fonctionnait. À présent, le Chauffeur regardait un documentaire sur la nature dans lequel quatre ou cinq coyotes poursuivaient un lièvre. Les chiens se relayaient pour le traquer.

Tôt ou tard, ils le rattraperaient, bien sûr. Ce n'était qu'une question de temps. Nino le savait depuis le début. De fait, ils le savaient tous les deux. Le reste n'était que chorégraphie, pas compliqués et manœuvres de diversion, passes de la cape du matador. Ils ne s'en tiendraient pas là.

Le Chauffeur versa les dernières gouttes de Buchanan's dans son dernier verre.

Les invités n'allaient pas tarder, cela ne faisait aucun doute.

23

Dans son rêve, le lièvre s'arrêtait net et se retournait vers le coyote, retroussant les babines pour révéler des dents gigantesques, tranchantes comme des rasoirs, juste avant de bondir.

Au même moment, le Chauffeur se réveilla et comprit qu'il y avait quelqu'un dans la chambre. Un changement dans la qualité de l'obscurité devant la fenêtre lui révéla où se trouvait l'intrus. Il se retourna lourdement, comme en proie à un sommeil agité, et l'encadrement du lit heurta le mur.

L'homme se figea.

Le Chauffeur se retourna une nouvelle fois et, d'un même mouvement, bondit sur ses pieds. L'antenne de radio dans sa main entailla la gorge de l'inconnu. Le sang jaillit, beaucoup de sang, et durant quelques instants, l'homme demeura pétrifié. Mais déjà, le Chauffeur était passé derrière lui. Il lui expédia un coup de pied dans les jambes, et au moment où son adversaire s'effondrait, il le frappa de nouveau avec l'antenne, de l'autre côté du cou cette fois, puis sur la main qu'il tendait, vraisemblablement pour attraper une arme.

Un pied appuyé sur le bras de l'intrus, le Chauffeur se pencha pour la récupérer. Un calibre .38 à canon court. Comme si le malheureux flingue s'était fait raboter le nez pour pouvoir se loger dans une poche.

« Allez, debout.

– D'accord. » Son visiteur leva les deux mains, paumes vers le ciel. « Si vous voulez. »

Ce n'était guère plus qu'un gamin, à vrai dire. Carrure étoffée par la musculation et les stéroïdes à parts égales. Cheveux noirs pratiquement rasés sur les côtés, laissés longs sur le sommet du crâne. Veste sport sur un T-shirt noir, deux chaînes en or. Petites dents carrées. Pas du tout comme celles du lièvre.

Le Chauffeur le poussa vers la porte d'entrée, puis jusque sur le balcon qui faisait le tour de l'immeuble. Tous les appartements donnaient sur cette galerie.

« Saute, ordonna-t-il.

– T'es dingue, mec. On est au deuxième.

– À toi de voir. Personnellement, je m'en fous. Ou tu sautes, ou je te descends sur place. Réfléchis. On est à quoi, à peu près neuf mètres ? Tu survivras. Avec un peu de chance, tu t'en tireras avec les jambes cassées, peut-être une cheville en miettes. »

Il détecta le changement chez l'inconnu, vit sa tension se dissiper, son corps se résigner à ce qui allait se produire. Au moment où il posait une main sur la rambarde, le Chauffeur lui lança :

« Salue Nino de ma part. »

Après, il récupéra le sac marin toujours posé près de la porte et emprunta l'escalier de derrière pour aller jusqu'à sa voiture. *Jumpin' Jack Flash* passait à la radio quand il mit le contact.

Merde.

De toute évidence, la station avait « changé de profil », comme ils disaient. Parce qu'elle avait été rachetée ? Bradée ? Elle était censée diffuser du jazz doux, bon sang ! C'était toujours le cas quand il l'avait mémorisée sur l'autoradio, seulement quelques jours plus tôt. Et maintenant, voilà ce qu'on lui proposait.

On en arrivait au point où on ne pouvait plus se fier à rien.

Il tourna le bouton, entendit quelques mesures de musique country, des infos, une discussion sur les étrangers du genre extraterrestre, de l'easy listening, encore de la country, du hard rock, encore une discussion sur les étrangers mais du genre terrestre, encore des infos.

Des citoyens inquiets en Arizona se mobilisaient parce qu'un groupe humanitaire avait commencé à creuser des puits dans le désert que les immigrants clandestins devaient traverser pour aller du Mexique aux États-Unis. Ils étaient des milliers à avoir péri en essayant de rallier leur destination. Des citoyens inquiets en Arizona, nota le Chauffeur, se prononçait d'une traite, dans un souffle, comme « armes de destruction massive » ou « péril rouge ».

Entre-temps, ce même État tentait de faire voter une loi interdisant aux immigrants clandestins l'accès aux soins médicaux gratuits dans les hôpitaux et services d'urgence, complètement débordés.

118

Doc aurait intérêt à exploiter une franchise.

Le Chauffeur s'engagea sur l'autoroute.

Ils avaient envoyé un seul chien après lui ? Un jeune chien, qui plus est, même pas le plus fort de la portée. C'était complètement idiot, ça n'avait aucun sens.

À moins que.

Deux possibilités.

La première : ils essayaient de le faire plonger. Son assassin désigné ne parlerait pas, évidemment. Mais si le Chauffeur l'avait tué – comme le commanditaire avait toutes les raisons de le supposer –, la police serait déjà en train d'enquêter auprès des voisins et de vérifier les archives concernant les appartements. Dans toute la Californie et les États adjacents, des fax émergeraient du sommeil pour cracher des copies de la photo figurant dans son dossier au service des cartes grises et des quelques informations sur son compte. Cela dit, il n'y avait pas grand-chose ; même à l'époque, d'instinct, il gardait un profil bas.

La seconde possibilité se transforma en réalité quand une Mustang bleue doubla la file de voitures derrière lui à la sortie de Sherman Oaks, envahit son rétroviseur et refusa obstinément d'être délogée.

Donc, non seulement on le filait, mais on voulait qu'il le sache.

Le Chauffeur sortit brusquement de l'autoroute pour se diriger vers une aire de services. Il s'engagea sur la bretelle et s'arrêta près des poids lourds, sans couper le moteur. Non loin de lui, une camionnette dégorgea une famille traînant des chiens dans son sillage, les parents houspillant les gosses, les gosses houspillant les chiens et se houspillant entre eux.

Enfin, la Mustang se matérialisa dans le rétroviseur du Chauffeur.

OK, songea-t-il. *À moi de jouer, maintenant.*

Il débraya, puis démarra en trombe sur la bretelle. Ses yeux allaient sans arrêt du rétroviseur à l'autoroute et vice-versa. Il s'inséra entre deux semi-remorques, dans un espace tout juste assez grand pour une voiture.

Mais il eut beau faire, il ne put semer l'autre enfoiré.

Régulièrement, il quittait l'autoroute pour mettre à profit le trafic local et interposer entre son poursuivant et lui, tels des barrages, des feux de circulation. Ou, de retour sur l'autoroute, il accélérait en actionnant son clignotant comme pour prendre une sortie, doublait un camion puis, une fois hors de vue, fonçait.

Mais rien à faire, la Mustang lui collait au train comme un mauvais souvenir, un passé auquel il n'y a pas moyen d'échapper.

À situation désespérée, mesures désespérées.

Bien en dehors de la ville, alors qu'il atteignait les premières éoliennes blanches tournant paresseusement, brassant le ciel pour le mélanger au désert, le Chauffeur bifurqua sans prévenir vers une sortie, puis fit un tête-à-queue pour se retrouver face à la direction d'où il était venu tandis que la Mustang se précipitait vers lui.

Alors il écrasa la pédale d'accélérateur.

Il resta sonné une minute ou deux, pas plus. C'était un vieux truc de cascadeur : au dernier moment, il s'était jeté sur la banquette arrière en se préparant à la collision.

Les véhicules s'étaient heurtés de plein fouet. Aucun ne serait en état de repartir, mais comme le Chauffeur l'avait prévu, c'était la Mustang qui avait le plus rudement encaissé le choc. Après avoir ouvert d'un coup de pied la portière, il sortit.

« Hé, ça va ? » cria quelqu'un par la vitre d'un pick-up cabossé immobilisé au bas de la bretelle.

Juste après, un long coup de klaxon résonna, suivi d'un crissement de freins quand une camionnette Chevy s'arrêta derrière le pick-up au terme d'un bon dérapage.

Le Chauffeur s'avança jusqu'à la Mustang. Hurlement de sirènes au loin.

La petite pointe de cheveux dans le cou de Gordon Ligocki ne ressemblerait plus jamais à rien. Il avait la nuque brisée. Des lésions internes aussi, à en juger par la quantité de sang autour de sa bouche. Il avait dû s'écraser contre le volant.

Le Chauffeur avait toujours sur lui les tracts de la pizzeria de Nino.

Il en fourra un dans la poche de poitrine de Gordon Ligocki.

24

Il se fit emmener par le type du pick-up, dont l'apparition avec une batte de base-ball en aluminium avait suffi à ramener à la raison les jeunes occupants de la camionnette, qui s'étaient rapidement insérés dans le flot de la circulation.

« À mon avis, vous avez sûrement une bonne raison de pas vouloir attendre l'arrivée des flics, avait-il dit quand le Chauffeur l'avait abordé. Je connais ça, moi aussi. Allez, montez. »

Le Chauffeur avait grimpé sur le siège passager.

« Je m'appelle Jodie, déclara le conducteur en souriant au bout de deux kilomètres environ, mais dans le coin, tout le monde m'appelle le Marin. » Il montra un tatouage sur son bras droit. « En principe, c'est une aile de chauve-souris. En fait, ça ressemble plutôt à une grand-voile. »

Des tatouages faits par un pro – la chauve-souris, une femme en pagne avec des coques de noix de coco en guise de seins, un drapeau américain, un dragon – lui couvraient les biceps. Mais ceux qui ornaient les mains posées sur le volant étaient d'un autre genre. Des tatouages de taulard, grossièrement réalisés avec de l'encre et un bout de métal – la plupart du temps, une corde de guitare.

« Où on va ? demanda le Chauffeur.

– Tout dépend… En ville, un peu plus loin, y a un restau pas trop mal. Z'auriez pas faim, par hasard ?

– Je mangerais bien quelque chose.

– Je m'en doutais. »

Ils débarquèrent dans un self typique d'une petite ville, proposant sur des plateaux fumants des tranches de pain de viande, des crevettes, des ailes de poulet épicées, des haricots et des saucisses de Francfort, des frites maison, du rosbif. Comme garniture, cottage cheese, salade en gelée, salade verte, pudding, bâtonnets de carotte et de céleri, haricots verts. La clientèle se composait d'un mélange d'ouvriers, d'hommes et de femmes venus de bureaux proches en chemisettes et robes de polyester, de vieilles dames aux cheveux bleus. Celles-ci arrivaient dans des voitures semblables à des tanks, vers une heure de l'après-midi, la tête tout juste visible au-dessus du volant et du tableau de bord, expliqua Jodie. Tout le monde savait alors qu'il valait mieux leur laisser le champ libre.

« Vous ne devriez pas être en train de bosser ? demanda le Chauffeur.

– Non, j'ai tout mon temps. Grâce au Viêtnam. J'étais tombé pour cambriolage à main armée, et le juge m'a dit qu'il me donnait le choix, je pouvais m'enrôler ou retourner en prison. Ça m'avait pas trop plu la première fois et j'avais pas l'impression que ça allait s'améliorer. Alors, je me suis farci l'entraînement, et au bout d'à peu près trois mois, je m'installais pour écluser la première de mes bibines du matin quand un sniper m'a touché. J'en ai renversé toute la canette. Ce salopard avait passé la nuit à faire le guet.

On m'a évacué à Saïgon par pont aérien, enlevé la moitié d'un poumon et réexpédié au pays. Ma pension d'invalidité me suffit pour vivre, du moment que je me prends pas de passion pour autre chose que les hamburgers bien gras et la mauvaise gnôle. »

Il termina son café. La Polynésienne sur son bras dansa le shimmy. Peau molle en dessous comme des caroncules de dindon.

« J'ai le sentiment que vous avez connu la guerre, vous aussi. »

Le Chauffeur esquissa un mouvement de dénégation.

« La taule, alors. Vous avez déjà séjourné à l'ombre.

– Pas encore.

– C'est drôle, j'aurais pourtant juré… » Il saisit de nouveau sa tasse de café et parut surpris en la découvrant vide. « Mais bon, qu'est-ce que j'en sais, moi…

– Comment se présente le reste de la journée, pour vous ? » demanda le Chauffeur.

Comme une journée de merde. Et comme d'habitude. Jodie habitait un mobile home à Paradise Park, en revenant vers l'autoroute. Partout, des réfrigérateurs abandonnés, des amas de pneus lisses, des carcasses de véhicules rouillés, privés de roues. Une demi-douzaine de chiens sur le terrain aboyaient et grondaient en permanence. La vaisselle sale se serait empilée dans l'évier si Jodie en avait eu assez pour l'empiler. Le peu qu'il possédait s'y trouvait, et ce, depuis apparemment un certain temps. Des coulures de graisse s'étaient figées entre les brûleurs de la gazinière.

Jodie alluma la télé quand ils entrèrent, fourragea dans l'évier, rinça deux verres à l'eau du robinet et les remplit de bourbon. Un chien de race indéterminée, couvert de croûtes, émergea des profondeurs du mobile home pour venir les saluer puis, épuisé par l'effort, s'effondra à leurs pieds.

« C'est le général Westmoreland », révéla Jodie.

Ils regardèrent un vieux film, *L'Introuvable*, puis un épisode de *200 dollars plus les frais* en enchaînant les bourbons. Trois heures plus tard, juste avant que le Chauffeur ne s'éloigne au volant du pick-up en laissant derrière lui un mot – *Merci* – et une liasse de billets de cinquante dollars, Jodie s'effondra lui aussi. Exactement comme le chien.

25

Elle était emballée dans une boîte guère plus grande qu'une de ces encyclopédies alignées sur une étagère du salon, derrière des figurines poussiéreuses d'anges et de poissons. Comment un machin pareil pouvait-il loger là-dedans ? *Une table ?* Une table de style, à en croire la publicité, fabriquée par un des principaux designers américains, à monter soi-même.

Elle arriva vers midi. Sa mère était tellement excitée ! On la déballera après le déjeuner, dit-elle.

Elle l'avait commandée par correspondance. Il se souvenait encore de la stupeur qu'il avait ressentie en l'apprenant. Le facteur allait sonner et, quand sa mère ouvrirait, il lui tendrait le paquet ? C'est votre table, madame. Vous tracez un cercle, vous inscrivez un numéro sur un morceau de papier, vous joignez un chèque, et une table apparaît juste devant votre porte. Comme par magie. Et elle se trouvait vraiment dans cette boîte minuscule ?

D'autres souvenirs de sa mère, de sa propre jeunesse, remontèrent à sa mémoire durant les heures qui précédaient le lever du jour. Quand il se réveilla, ils étaient toujours là, dans sa tête, mais dès qu'il essayait consciemment de se les remémorer ou de les évoquer, ils disparaissaient.

Il avait quoi, neuf ou dix ans ? Il traînassait devant un sandwich au beurre de cacahouète pendant que sa mère tambourinait des doigts sur le plan de travail.

« Tu as fini ? »

Non, il n'avait pas fini, il restait encore presque une moitié de sandwich sur son assiette et il avait faim, mais il avait néanmoins hoché la tête. Toujours obtempérer. Règle numéro un.

Elle avait emporté l'assiette, qui avait rejoint la pile près de l'évier.

« Bon, voyons voir. » Et d'enfoncer la lame d'un couteau de boucher dans un coin de la boîte pour l'ouvrir.

Avec amour, elle avait disposé les éléments sur le sol. Quel puzzle impossible ! Garnitures métalliques, patins de caoutchouc, sachets de vis et d'accessoires.

Sa mère ne cessait de regarder la notice de montage tandis que, petit à petit, morceau par morceau, elle assemblait la table. Une fois la première moitié des pieds montée et équipée de patins en caoutchouc, l'expression maternelle, à laquelle il était toujours attentif, était passée d'heureuse à déconcertée. Quand elle avait emboîté la seconde moitié et vissé les traverses, la tristesse s'était inscrite sur ses traits. Et cette tristesse avait envahi son corps tout entier avant de se répandre dans la cuisine.

Règle numéro deux : prêter attention à tout.

127

Enfin, sa mère avait sorti du fond de la boîte le plateau de la table et l'avait mis en place.

Résultat : un objet branlant, hideux, bas de gamme.

Un profond silence s'était abattu sur la pièce, sur le monde entier, pendant longtemps.

« Je n'y comprends rien », avait dit sa mère.

Elle était toujours assise par terre, entourée de pinces et de tournevis. Des larmes ruisselaient sur ses joues.

« Elle avait l'air tellement jolie sur le catalogue. Tellement jolie. Pas du tout comme ça. »

26

La vieille camionnette de Jodie était une Ford F-150 aussi élégante qu'une brouette, aussi prévisible que la rouille et les impôts, aussi solide qu'un tank. Freins capables de stopper net une avalanche, moteur assez puissant pour remorquer des glaciers. Même si des bombes pleuvaient et anéantissaient la civilisation telle que nous la connaissons, deux choses émergeraient toujours des cendres : les cafards et les F-150. Cet engin se manœuvrait comme un char à bœufs, faisait s'entrechoquer vos plombages et vous mettait les reins en compote, mais il appartenait à la catégorie des survivants. Il assurait sa part de boulot, quel que soit le boulot.

Comme lui.

Le Chauffeur engagea le monstre noir, tacheté de colle Bond-It, sur l'I-10 en direction de Los Angeles. Il avait trouvé une station de radio universitaire diffusant entre autres des duos Eddie Lang-Lonnie Johnson, George Barnes, Parker et Dolphy, Sidney Bechet, Django. C'était étrange de voir à quel point une victoire aussi modeste, la découverte de cette station, pouvait changer la perception du monde.

Chez un coiffeur sur Sunset, il se fit couper les cheveux en brosse. Puis il acheta des vêtements trop grands et des lunettes panoramiques dans les boutiques voisines.

Nino's Pizza se logeait entre une boulangerie et une boucherie dans un quartier italien où de vieilles femmes occupaient porches et perrons, où des hommes installés à des tables de jeu posées sur le trottoir jouaient aux dominos. Avec la multiplication des supermarchés, des Sam's Clubs et autres magasins semblables, le Chauffeur n'imaginait même pas que les boucheries existaient encore.

Deux types en particulier, vêtus de costumes sombres, passaient beaucoup de temps chez Nino. Ils arrivaient tôt le matin, prenaient leur petit-déjeuner sans se presser, puis partaient. Environ une heure plus tard, ils étaient de retour. Parfois, ça durait ainsi toute la journée. L'un enchaînait les expressos, l'autre préférait le pinard.

De fait, ils étaient en tout point opposés.

Buveur d'Expressos était jeune. Dans les vingt-huit ou trente ans, peut-être, courts cheveux noirs enduits de ce qui ressemblait fort à de la vaseline. Si on braquait des UV sur ces cheveux-là, ils deviendraient fluorescents. Des godasses noires à bout rond, lourdingues, émergeaient de sous les revers de son pantalon. Sous sa veste, il portait un polo bleu marine.

Buveur de Pinard, la cinquantaine, avait rassemblé ses cheveux gris en une courte queue-de-cheval et arborait une chemise noire habillée, avec des boutons de manchette en or mais pas de cravate, ainsi que des Reebok également noires. Alors que son jeune acolyte possédait une démarche lente et mesurée, la raideur d'un bodybuilder, Buveur de Pinard se contentait de glisser. Comme s'il était chaussé de mocassins ou ne touchait le sol que tous les trois ou quatre pas.

Le deuxième jour, juste après le petit-déjeuner, Buveur d'Expressos sortit en griller une derrière le restaurant. Il inhala profondément, emplissant ses poumons de poison lent, exhala, puis tenta de tirer une nouvelle fois sur sa clope, mais en vain.

Ce truc autour de son cou… Bon Dieu, du *fil de fer* ? Il l'agrippa, tout en sachant pertinemment que ça n'arrangerait rien. Derrière lui, quelqu'un serrait fort. Et cette sensation de chaleur sur sa poitrine, c'était du sang, forcément. Quand il tenta de regarder, un morceau de peau ensanglantée, *sa* peau, lui tomba sur le torse.

Alors, c'est ça, pensa-t-il, je vais finir ici, dans une putain d'impasse, avec de la merde plein le falzar. Fait chier.

Le Chauffeur lui fourra dans la poche un tract pour Nino's Pizza. Un peu plus tôt, il avait entouré de rouge *Livraisons à domicile*.

Fait chier, se dit Buveur de Pinard en écho quelques minutes plus tard. Le garde du corps de Nino l'avait amené ici après qu'un des cuistots, sorti vider un bac à graisse, eut trébuché sur Junior.

Et d'abord, comment pouvait-on baptiser son gosse Junior ?

En tout cas, il avait son compte. Yeux exorbités, visage parsemé de capillaires éclatés en forme d'étoiles. Langue saillante, comme un bouchon de chair.

Incroyable, pensa-t-il en constatant que le gamin bandait toujours. Il lui était arrivé de penser que Junior ne voyait pas plus loin que le bout de sa queue.

« M'sieur Rose ? » lança le garde du corps. Comment il s'appelait, celui-là, déjà ? Ils défilaient les uns après les autres. Keith quelque chose.

Fils de pute, songea-t-il. *Sale fils de pute.*

Non qu'il ait éprouvé une affection particulière pour ce gamin, qui se comportait parfois comme un connard de première dopé au jus de carotte et aux stéroïdes. Et qui s'envoyait assez de caféine pour liquider un attelage entier. Mais bon sang, celui qui avait eu sa peau n'aurait jamais dû s'aventurer sur ce territoire.

« Va falloir que le patron mette la pression, m'sieur Rose », reprit Keith quelque chose derrière lui.

Il demeura immobile, son verre de vin dans une main, le tract pour la pizzeria dans l'autre. Le cercle d'encre rouge. Livraisons à domicile.

« Je dirais que c'est déjà fait. »

Ça remontait à quelques minutes tout au plus. Il ne pouvait pas être bien loin, ce fils de pute… Mais ce n'était pas pour tout de suite.

Il vida son verre.

« Faut qu'on aille prévenir Nino.

— Ça va pas lui plaire, dit Keith quelque chose.

— Parce que ça nous plaît, à nous ? »

⁂

Ça ne plaisait pas du tout à Bernie Rose.

« Donc, t'as lâché les chiens sur ce type, et moi, j'en entends parler le jour où il se pointe chez moi pour refroidir mon partenaire… T'as de la chance qu'y ait pas de syndicat dans notre métier. Ce sont aussi mes affaires, Nino. Tu le sais parfaitement, bon Dieu ! »

Nino, qui détestait les pâtes sous toutes leurs formes, enfourna la dernière bouchée d'un croissant au chocolat qu'il arrosa d'une gorgée d'Earl Grey.

« On se connaît depuis qu'on a quoi, six ans ? »

Bernie Rose garda le silence.

« Fais-moi confiance. Ça, c'était un extra, en dehors du business habituel. Ça me paraissait logique de sous-traiter.

— Les extras, c'est le genre de truc qui t'expédie *ad patres*, Nino. Je ne t'apprends rien.

— Les temps changent.

— Sûr que les temps changent quand on envoie des amateurs descendre un type sans prendre la peine de prévenir ses propres troupes. »

133

Bernie Rose se servit un autre verre de vin. Un rouge rital, comme il disait encore. Nino ne le quittait pas des yeux.

« Explique-moi, Nino. »

S'il avait fait des films, il aurait demandé quel était le contexte, la backstory. Backstory, pitch, storyboard… Dans le cinéma, on a son jargon. Des producteurs incapables de décomposer une phrase n'en aiment pas moins pérorer à propos de la « structure » d'un scénario.

« C'est compliqué.

– Je m'en doute. »

Il écouta Nino lui exposer la situation, le faux braquage parti en couilles, le type qui l'avait pris comme un affront personnel, la rançon.

« T'as foiré, conclut-il.

– Et dans les grandes largeurs. Crois-moi, j'en suis conscient. J'aurais dû te mettre au courant. On fait équipe.

– Plus maintenant, rétorqua Bernie Rose.

– Bernie…

– Ta gueule, Nino. »

Bernie Rose remplit une nouvelle fois son verre, terminant la bouteille. Dans le temps, on plantait une bougie dans le goulot et on la posait sur une table. Sacrément romantique.

« Bon, voilà ce qui va se passer, Nino. Je vais m'occuper de ce type, mais c'est moi qui régale, rien à voir avec toi. Après, je me casse ; pour toi, je ne serai plus qu'un mauvais souvenir.

– Tu peux pas te tirer comme ça, mon ami. Toi et moi, on est liés. »

Ils restèrent un moment immobiles, les yeux dans les yeux. Enfin, Bernie reprit la parole :

« J'en ai rien à foutre de ta permission, Izzy. » La mention du surnom de Nino dans sa jeunesse, que Bernie n'avait jamais employé durant toutes ces années, produisit un effet visible. « T'as récupéré ton fric, tu devrais être content.

– C'est pas une question de fric…

– … mais une question de principe. Bien. Et après, tu décides quoi ? Tu vas écrire au *New York Times* ? Embaucher d'autres amateurs ?

– Ce seraient pas des amateurs.

– Ils le sont tous, aujourd'hui. Tous. Des copies carbone de Junior avec leurs foutus tatouages et leurs jolies petites boucles d'oreilles. Mais bon, à toi de voir, tu fais ce que t'as à faire.

– Comme toujours.

– Deux choses, Nino.

– Je compte.

– Si tu t'avises de m'envoyer des gars, si n'importe qui au-dessus de toi s'avise de m'envoyer des gars, attends-toi à recevoir des livraisons.

– C'est bien le même Bernie Rose qui disait : "Jamais de menaces" ?

– Ce n'est pas une menace. Ça non plus.

– Ça quoi ? »

Nino riva ses yeux aux siens.

« Compte pas sur une faveur au nom du bon vieux

135

temps, répondit Bernie Rose. Si, en jetant un coup d'œil dans mon rétro, je vois quelqu'un sur la banquette arrière, le truc que je verrai juste après – une fois le problème réglé –, ce sera toi.

– Bernie, Bernie… On est copains.

– Non, Nino. On ne l'est pas. »

Que fallait-il en conclure ? Chaque fois que vous croyez avoir une prise sur la réalité, elle vous fait un pied de nez et poursuit son chemin, redevenant – restant – indéchiffrable. Le Chauffeur aurait aimé avoir l'opinion de Manny Gilden. Manny comprenait au premier coup d'œil des choses dont d'autres passaient des semaines à essayer de percer le sens. « C'est de l'intuition, disait-il, juste de l'intuition, une sorte de flair. Tout le monde pense que je suis intelligent, mais c'est pas le cas. Quelque chose en moi fait le lien. » Il se demanda si Manny était enfin allé à New York ou si, comme d'habitude, six ou sept fois en autant d'années, il avait battu en retraite.

Buveur de Pinard sortit jeter un coup d'œil à Expresso, le visage impassible, puis retourna à l'intérieur. Une demi-heure plus tard, il passa de nouveau la porte et enfourcha sa monture. Une Lexus bleu ciel.

Le Chauffeur songea à la façon dont, son verre à la main, le type était resté devant le corps, puis dont il s'était dirigé vers la Lexus, comme s'il ne pesait rien, et pour la première fois, il comprit ce que voulait dire Manny.

Le type qui était rentré et celui qui était ressorti étaient différents. Ce qui s'était produit à l'intérieur avait tout changé.

27

Bernie Rose et Isaiah Paolozzi avaient grandi à Brooklyn, dans le vieux quartier italien dont le centre se situait autour de Henry Street. Du toit où Bernie avait passé une bonne partie de ses années d'adolescence, on pouvait voir à gauche la statue de la Liberté, et à droite, le pont tendu comme un gigantesque élastique entre deux mondes distincts. Du temps de Bernie, ces mondes étaient devenus moins distincts à mesure que les loyers s'envolaient à Manhattan, chassant les jeunes de l'autre côté du fleuve, et que ceux de Brooklyn suivaient le mouvement pour répondre à la demande. Manhattan, après tout, n'était toujours qu'à quelques minutes par la ligne F. À Cobble Hill, Boerum Hill et dans le bas de Park Slope, les restaurants chic qui accueillaient les nouveaux résidents détonnaient parmi les magasins encombrés de meubles d'occasion et les vieilles bodegas défraîchies, miteuses.

Dans cette partie de la ville, les histoires sur la mafia circulaient comme les dernières blagues en date.

Une des nouvelles habitantes, sortie promener son chien, l'avait laissé faire sa crotte sur le trottoir et,

138

pressée d'aller retrouver son petit copain, avait négligé de ramasser la chose. Malheureusement, la mère d'un mafioso logeait dans la maison donnant sur le trottoir souillé. Quelques jours plus tard, la jeune femme avait retraversé le fleuve pour découvrir le toutou étripé dans sa baignoire.

Un autre, après avoir sillonné les rues à la recherche d'une place, avait fini par en trouver une qui venait de se libérer. « Hé, vous pouvez pas vous garer là, c'est réservé ! » lui avait crié un gamin du perron proche. « C'est ça », avait-il répondu. Le lendemain, quand il avait parcouru à pied les huit pâtés de maisons pour aller garer sa voiture le long du trottoir d'en face, afin de permettre le nettoyage de la rue et d'éviter une amende, elle avait disparu. Définitivement.

En 1990, Nino en avait eu assez. « C'est plus ma ville, avait-il dit à Bernie. Qu'est-ce que tu penserais de la Californie ? » Le plus grand bien, a priori. Bernie n'avait pratiquement plus rien à faire dans le coin ; les affaires se dirigeaient toutes seules. Et il n'en pouvait plus des vieux grincheux qui l'invitaient à dîner ou à leurs tables de dominos pour se plaindre, ni du cortège de cousins, de neveux et de nièces qui occupaient presque tout Brooklyn. Sans compter qu'il avait bu suffisamment d'expressos pour le restant de ses jours. De fait, il avait pris sa dernière tasse le jour du départ. Il n'y avait jamais retouché.

Il n'avait pas fallu longtemps à Nino pour tout liquider. Il avait vendu le restaurant, avec son papier tontisse rouge et ses serveuses aux cheveux crêpés, à un des nouveaux arrivants qui projetait d'en faire un « palais du sushi ». Confié le kiosque à journaux et les stands de café à deux de ses neveux. L'oncle Lucius, poussé par sa femme Louise, qui aurait donné n'importe quoi pour avoir la paix, avait repris le bar.

Bernie et Nino étaient donc partis vers l'ouest dans la magnifique Cadillac rouge cerise de Nino, s'arrêtant deux fois par jour dans des relais routiers pour se payer hamburgers et steaks, s'accommodant le reste du temps de chips, de saucisses de Vienne, de sardines, de Fritos. Avant, les rares fois où ils avaient eu l'occasion de s'aventurer hors de leur territoire, même Manhattan leur était apparue comme une terre étrangère. Le monde, pour eux, c'était Brooklyn. Et voilà qu'ils fonçaient à travers les étendues sauvages de l'Amérique, ses décors permanents.

« Sacré pays, avait dit Nino. Mouais, sacré pays. Tout est possible, ici, absolument tout. »

C'était vrai. À condition bien sûr d'avoir famille, relations, argent. Un système guère différent, au fond, des machines politiques qui avaient craché tous les Kennedy et permis de maintenir à leur poste le maire Daley et consorts. Ou de celles qui avaient expédié Reagan et deux Bush sous les roues de la république pendant qu'on changeait les pneus.

« Même si, avait ajouté Nino – ils étaient alors en Arizona –, on a l'impression que Dieu s'est accroupi ici pour péter un coup et qu'il a craqué une allumette juste après. »

140

Nino avait tout de suite revendiqué sa place dans leur nouveau monde, comme s'il en avait toujours fait partie, prenant la tête d'une chaîne de pizzerias, de fast-foods situés dans des centres commerciaux, de plusieurs bureaux de paris, d'un réseau de collecteurs de fonds. En fait, ils auraient pu ne jamais quitter Brooklyn, se disait Bernie, sauf que maintenant, quand ils regardaient autour d'eux, ils ne voyaient plus le métro aérien ni les publicités peintes pour des restaurants sur le côté des immeubles, mais juste le ciel bleu et les palmiers.

Bernie Rose détestait tout ça. Il détestait le défilé des journées radieuses, détestait l'absence de saisons et de pluie, détestait les rues et les autoroutes engorgées, détestait toutes ces « communautés » comme Bel Air, Brentwood ou Santa Monica, insistant sur leur indépendance alors même qu'elles épuisaient les ressources de Los Angeles.

Il ne s'était jamais considéré comme doué de conscience politique, mais hé.

Quoi qu'il en soit, le changement de pays l'avait rendu plus gentil. Quand il allait frapper à la porte d'un grand mobile home ou d'un appartement de luxe qu'un crétin avait payé deux millions, cette gentillesse l'accompagnait. Il essayait de comprendre, de se mettre à la place des autres. « Tu ramollis, mon garçon », disait l'oncle Ivan – la seule personne de la côte Est avec qui il avait maintenu le contact. Mais non, il ne ramollissait pas. Il s'apercevait juste que certaines personnes n'avaient jamais eu l'ombre d'une putain de chance et ne l'auraient jamais.

Au China Belle, alors qu'il avait déjà bien entamé sa troisième tasse de thé vert et grignotait un nem encore trop chaud, Bernie pensait au type qui avait aligné Nino dans son viseur.

« Tout se passe bien, monsieur Rose ? » demanda Mai June, sa serveuse préférée. (« Mon père ne possédait pas grand-chose à part son sens de l'humour, dont il était excessivement fier », lui avait-elle expliqué quand il l'avait interrogée sur son nom.) En raison de ses inflexions chantantes et de ses intonations modulées, tout ce qu'elle disait, même les déclarations les plus banales, ressemblait à un poème ou à un air de musique. Il lui assura que les plats étaient remarquables, comme toujours. Quelques minutes plus tard, elle lui apporta son entrée, crevettes aux cinq parfums.

OK, récapitulons.

Ici, au Pays des Merveilles, Nino avait commencé à se prendre pour un foutu producteur, pas seulement un bon exécutant (et il avait été l'un des meilleurs), mais un gros bonnet. L'ambition était partout dans le coin, dans l'eau et dans l'air, dans ce soleil accablant. Pareille à un virus, elle s'insinuait en vous et ne vous lâchait plus – un chien du rêve américain transformé en dingo. Alors, Nino avait monté un coup, ou plutôt se l'était vu imposer, puis il avait sous-traité, sans doute à celui qui le lui avait imposé. Le réalisateur avait constitué l'équipe, le package. Trouvé le chauffeur.

Ça ne devrait pas être trop difficile de marcher sur ces traces-là. Non qu'il sache d'emblée qui appeler, mais il n'aurait aucun problème à obtenir des numéros. Il laisserait entendre qu'il était lui-même un gros bonnet, bien sûr, qu'il avait un coup en attente au bout de la piste, et qu'avant de décoller, il avait besoin du meilleur pilote disponible.

Mai June se matérialisa près de lui, lui resservit du thé, lui demanda s'il voulait autre chose.

« Les crevettes étaient absolument étonnantes. Divines. »

Inclinant la tête, Mai June se retira.

**

Pendant que Bernie Rose avalait nems et crevettes aux cinq parfums, le Chauffeur s'approcha de la Lexus garée sur le parking désert attenant au restaurant. L'alarme n'avait pas été activée.

Une voiture pie ralentit dans la rue. Il s'adossa au capot de la Lexus comme si c'était la sienne. Le grésillement d'une radio lui parvint. Le patrouilleur s'éloigna.

Le Chauffeur se redressa, puis se dirigea vers la vitre côté conducteur.

Le volant était bloqué par une barre antivol, mais ce n'était pas la voiture qui l'intéressait et il lui fallut moins d'une minute pour forcer la portière. Intérieur immaculé. Sièges propres et vides. Rien sur les planchers. Une petite poignée de détritus, gobelets, Kleenex et stylo à bille, fourrée dans une pochette en similicuir fixée au tableau de bord.

Les papiers dans la boîte à gants lui apprirent tout ce qu'il avait besoin de savoir.

Bernard Wolfe Rosenwald.

Habitant à Culver City, dans un de ces endroits qui portaient un nom de forêt, probablement une résidence munie d'une grille de sécurité merdique.

Le Chauffeur scotcha au volant un des tracts de la pizzeria. Il avait dessiné dessus un visage souriant.

28

Ses yeux se portèrent vers les poches de perfusion accrochées aux potences au-dessus du lit – six au total. En dessous se trouvait toute une batterie de pompes. Il fallait les reprogrammer à peu près toutes les heures. L'une d'elles émettait déjà un bip d'alarme.

« Quoi, encore un foutu visiteur ? »

L'infirmière avait expliqué au Chauffeur qu'il n'y avait eu aucun visiteur. Elle lui avait également dit que son ami était en train de mourir.

Doc indiqua d'une main tremblante l'une des perfusions.

« Tu vois, j'ai atteint le numéro magique.

– Hein ?

– À la fac de médecine, on disait toujours que si on avait six sondes, six poches, c'était la fin. Quand on en arrivait là, tout le reste n'était que de la danse.

– Ça va aller, Doc.

– "Ça va aller" est un territoire où je ne mets plus les pieds.

– Tu veux que je prévienne quelqu'un ? » demanda le Chauffeur.

Doc fit mine de griffonner dans l'air. Il y avait une planchette sur la table. Le Chauffeur la lui tendit.

« C'est un numéro à Los Angeles, c'est ça ? »

De la tête, Doc acquiesça.

« Ma fille. »

Merci d'avoir appelé. Votre appel est important pour nous. Veuillez laisser un message.

Il dit à la fille de Doc qu'il appelait de Phoenix, que son père était gravement malade. Il donna le nom de l'hôpital et son propre numéro de téléphone.

Quand il revint dans la chambre, un feuilleton en espagnol passait à la télé. Un beau jeune homme torse nu émergea d'un marécage en ôtant nonchalamment les sangsues collées à ses jambes musclées.

« Il n'y avait personne, annonça le Chauffeur. J'ai laissé un message.

— Elle ne rappellera pas.

— Peut-être que si.

— Pourquoi le ferait-elle ?

— Parce que c'est ta fille ? »

Doc secoua la tête.

« Comment m'as-tu retrouvé ?

— Je suis passé chez toi. Miss Dickinson était dehors, et quand j'ai ouvert, elle s'est précipitée à l'intérieur. Vous aviez vos habitudes, tous les deux. Puisqu'elle était là, c'est que tu devais y être aussi. J'ai commencé à frapper aux portes, à poser des questions. Un gamin de l'autre côté de la rue m'a expliqué que tu étais parti en ambulance.

— Tu lui as donné à manger ? À Miss Dickinson ?

— Oui.

– Cette garce nous a bien dressés.

– Je peux faire quelque chose pour toi, Doc ? »

Celui-ci laissa son regard dériver vers la fenêtre en secouant la tête.

« Je me suis dit que tu saurais comment l'utiliser, reprit le Chauffeur en lui confiant une flasque. J'essaierai de rappeler ta fille.

– C'est pas la peine.

– Ça t'embête si je repasse te voir ? »

Doc inclina la flasque pour la porter à ses lèvres, puis l'abaissa.

« C'est pas vraiment la peine non plus. »

Le Chauffeur était presque arrivé à la porte lorsque Doc cria :

« Au fait, comment va ce bras ?

– Il va bien.

– Moi aussi, j'allais bien. Ouais, moi aussi. »

29

Ce fils de pute commençait sérieusement à lui taper sur le système.

Bernie Rose sortit du China Belle en se curant les dents. Il flanqua le biscuit porte-bonheur à la poubelle. Même si cette cochonnerie contenait la plus grande vérité, quel individu sensé voudrait la connaître ?

Il arracha le tract collé au volant, le roula en boule et lui fit prendre la même direction que le biscuit.

Les pizzas. Bon.

Bernie rentra chez lui, à Culver City, non loin des anciens studios MGM devenus Sony-Columbia. La main gauche refermée sur un hamburger, Jesus porta à sa tempe l'index et le majeur de la droite en signe de bienvenue, puis pressa le bouton pour ouvrir la grille. Bernie leva les pouces en se demandant si le gardien savait qu'il venait de réussir une bonne imitation du salut scout.

Quelqu'un avait fourré sous sa porte une dizaine de tracts pour des pizzerias. Pizza Hut, Mother's, Papa John's, Joe's Chicago Style, Pizza Inn, Rome Village, Hunky-Dory Quick Ital, The Pie Place. Ce fils de pute avait dû faire le tour des boîtes aux lettres du quartier pour les récupérer. Sur chacun, il avait entouré les mots *Livraisons à domicile.*

Bernie se servit un scotch et s'affala dans le canapé à dossier inclinable. Juste à côté se trouvait un fauteuil qu'il avait payé plus de mille dollars, censé résoudre tous les problèmes de dos – sauf qu'il ne supportait pas ce maudit truc, il avait l'impression d'être assis dans un gant de base-ball. Aussi, bien qu'installé chez lui depuis plus d'un an, le fauteuil dégageait-il toujours la même odeur de bagnole neuve. L'odeur, en revanche, Bernie aimait bien.

Soudain, il se sentit épuisé.

Et le couple d'à côté qui remettait ça… Il resta là, à les écouter s'engueuler, puis se servit un autre scotch avant d'aller frapper à la porte 2-D.

« Ouais ? »

Lenny était un petit homme au visage rougeaud qui emporterait dans la tombe ses joues rondes de bébé.

« Bernie Rose, de l'appartement voisin.

– Je sais, je sais. Qu'est-ce qui se passe ? Je suis occupé, là.

– J'ai entendu. »

L'expression de Lenny changea. Il tenta de claquer la porte mais Bernie la repoussa de l'avant-bras. Le type devint encore plus rouge en essayant de la fermer. Sans succès. Bernie tenait bon. Les muscles de son bras saillaient comme des câbles.

Au bout d'un moment, il ouvrit la porte en grand.

« Hé, qu'est-ce que…

– Ça va, Shonda ? » demanda Bernie.

Elle acquiesça sans le regarder. Au moins, ils n'en étaient pas arrivés aux coups, cette fois. Pas encore, du moins.

« Vous pouvez pas… »

Bernie referma sa main sur la gorge du voisin.

« Je suis patient, Lenny, pas spécialement du genre à me mêler des affaires des autres. Après tout, chacun a le droit de mener sa vie comme il l'entend, pas vrai ? Et celui d'être tranquille. Du coup, ça fait presque un an que j'écoute ce qui se passe ici, et que je me dis : *Bah, c'est un brave type, il va régler ça.* Vous allez régler ça, Lenny, hein ? »

D'une inclinaison du poignet, il obligea son voisin à hocher la tête.

« Shonda est quelqu'un de bien. Vous avez de la chance qu'une femme comme elle vous ait supporté depuis si longtemps. Vous avez de la chance aussi que moi, je vous aie supporté. Bon, vous me direz, elle a une bonne raison de le faire : elle vous aime. Moi, je n'en ai pas. »

Pour le coup, *ça*, c'était stupide, songea Bernie quand, de retour dans son appartement, il se servit un autre scotch.

Tout était tranquille à côté. Le canapé à dossier inclinable l'accueillit une fois de plus.

Avait-il oublié d'éteindre la télé ? Il ne se rappelait pas l'avoir allumée, mais elle était réglée sur une chaîne qui diffusait une de ces émissions judiciaires à la mode, le juge Untel ou Untel, mettant en scène des magistrats réduits à des caricatures (New-Yorkais bourrus, sarcastiques, Texans à l'accent aussi épais qu'un glaçage de gâteau) et des participants soit tellement idiots qu'ils avaient sauté sur cette occasion de montrer leur bêtise à toute la nation, soit tellement inconscients qu'ils n'avaient pas la moindre idée de ce qu'ils faisaient.

Encore un de ces trucs qui fatiguaient Bernie.

Il ne comprenait pas. Le changement venait-il de lui ou du monde autour de lui ? Certains jours, il ne reconnaissait presque plus rien. Comme s'il avait été débarqué d'un vaisseau spatial et agissait machinalement, essayant de se fondre dans le décor, tâchant d'imiter quelqu'un qui avait sa place sur cette planète. Tout était devenu bas de gamme, criard et creux… Achetez une table aujourd'hui, et tout ce que vous aurez, c'est cinq millimètres de pin collé sur du contreplaqué. Claquez mille deux cents dollars pour un fauteuil, vous ne pourrez même pas y poser les fesses.

Bernie avait connu pas mal de types arrivés au bout du rouleau, qui se demandaient un beau jour ce qu'ils faisaient au juste et pourquoi ils le faisaient. Pour la plupart, ils disparaissaient peu après. Ils se retrouvaient condamnés à perpète, relâchaient leur vigilance et étaient abattus par quelqu'un qu'ils avaient provoqué ou par leurs propres hommes. Bernie ne s'estimait pas au bout du rouleau. En tout cas, il avait bien une certitude : ce chauffeur, lui, ne l'était pas.

Des pizzas. Bon sang, ce qu'il pouvait détester ces foutues pizzas.

À la réflexion, c'était plutôt marrant, tous ces tracts fourrés sous sa porte.

30

Quand il était plus jeune, toutes les nuits pendant ce qui lui avait paru au moins un an, le Chauffeur avait fait le même rêve. Il se tenait sur le côté de la maison, les orteils sur la corniche du premier étage, à environ deux mètres cinquante du sol car le bâtiment était construit à flanc de colline, et il y avait un ours en dessous de lui. L'ours essayait de l'atteindre, se hissait sur un rebord de fenêtre, et au bout d'un moment, frustré, arrachait une tulipe ou un iris dans le massif au pied de la façade puis mangeait la fleur. Ensuite, il recommençait à essayer d'attraper le Chauffeur. Enfin, il arrachait une autre tulipe, prenait un air songeur et l'offrait au Chauffeur. Celui-ci allait toujours la saisir quand il se réveillait.

Ça remontait à l'époque de Tucson, quand il vivait chez les Smith. Son meilleur copain d'alors s'appelait Herb Danziger. Herb était dingue de bagnoles ; il les réparait dans le jardin familial, s'assurant ainsi des revenus qui rivalisaient avec la paie de son père agent de sécurité et de sa mère aide-soignante. Il y avait toujours une Ford de 48 ou une Chevy de 55 garée là, le capot ouvert et la moitié des entrailles étalée sur une bâche posée à même le sol. Herb possédait un de ces énormes manuels Chilton de réparation automobile, mais jamais le Chauffeur ne l'avait vu le consulter ; pas une seule fois durant toutes ces années.

La première et dernière bagarre à laquelle le Chauffeur se retrouva mêlé dans son nouveau lycée se produisit le jour où le petit dur local l'aborda à la récréation pour lui conseiller de ne pas traîner avec les Juifs. Le Chauffeur se doutait vaguement que Herb était juif, sans pour autant avoir la moindre idée des conséquences éventuelles d'un tel état de fait. Ce petit dur avait la manie de pincer l'oreille de son interlocuteur entre son pouce et son majeur. Quand il voulut faire de même avec le Chauffeur, ce dernier lui saisit le poignet à mi-parcours, le stoppant net dans son élan. De son autre main, il lui cassa délicatement le pouce.

L'autre passe-temps de Herb, c'étaient les courses de bagnoles dans un circuit aménagé en plein désert, entre Tucson et Phoenix, au milieu d'un paysage irréel peuplé de tourbillons de poussière de trois mètres de haut, de chollas qui ressemblaient à des plantes sous-marines prises de folie et de grands cactus saguaro dont les bras criblés de trous ayant abrité des générations d'oiseaux montaient vers le ciel tels les doigts des vieillards sur les anciennes peintures religieuses. Le circuit était l'œuvre d'un groupe de jeunes hispaniques qui, d'après la rumeur, contrôlait le trafic de marijuana en provenance de Nogales. S'il faisait figure d'outsider, Herb n'en était pas moins le bienvenu grâce à ses talents de pilote et de mécanicien.

Les premières fois où le Chauffeur l'accompagna, Herb l'envoya essayer les voitures qu'il venait de remettre en état afin de pouvoir juger leurs performances. Mais après avoir goûté au pilotage, le Chauffeur ne parvint plus à s'en passer. Il commença à pousser les bagnoles pour voir ce qu'elles avaient dans le ventre. Bientôt, il devint évident qu'il possédait un don inné. Herb cessa de conduire, se bornant à regarder. Il désossait les caisses pour mieux les retaper ; le Chauffeur les emmenait dans le vaste monde.

Ce fut aussi sur le circuit que le Chauffeur rencontra son seul autre copain, Jorge. Alors qu'il découvrait la seule chose dans laquelle il excellerait, le Chauffeur n'en revenait pas de voir quelqu'un comme Jorge, qui semblait exceller en tout. Il jouait de la guitare et de l'accordéon dans un conjunto local, composait ses propres chansons, conduisait comme un pilote professionnel, se distinguait par ses brillants résultats scolaires, chantait des solos dans la chorale du lycée, travaillait avec des adolescents perturbés dans un foyer. S'il possédait une chemise en plus de celle qu'il arborait à l'église, le Chauffeur ne la vit jamais. Il portait toujours un de ces maillots de corps côtelés passés de mode, un jean noir et des bottes de cow-boy en daim gris. Jorge vivait à South Tucson, dans une maison biscornue ayant subi moult réparations, avec trois ou quatre générations de proches et un nombre indéterminé d'enfants. Le

Chauffeur s'y installait souvent pour dévorer tortillas maison, haricots frits et refrits, burritos et ragoût de porc avec des tomatillos, entouré par une flopée de gens qui bavardaient dans une langue dont il ne comprenait pas un mot. Mais comme c'était un ami de Jorge, il faisait lui aussi partie de la famille. La vieille abuela de son ami était toujours la première à se précipiter sur l'allée de terre battue pour l'accueillir. Elle le prenait par le bras pour le conduire à l'intérieur, jacassant comme une pie durant tout le trajet. Derrière, dans le jardin, se trouvaient souvent des hommes ivres avec des guitarrons, des guitares et des mandolines, des violons, des accordéons, des trompettes et parfois un tuba.

Ce fut également chez Jorge qu'il se familiarisa avec les armes à feu. Tard le soir, les hommes se réunissaient et partaient dans le désert s'entraîner sur des cibles, les mots « s'entraîner » et « cibles » tenant d'ailleurs tous les deux de l'euphémisme. En même temps qu'ils éclusaient packs de six et bouteilles de scotch Buchanan's, ils dégommaient tout ce qui se trouvait dans leur champ de vision. Mais en dépit de l'utilisation apparemment insouciante qu'ils en faisaient, ils prenaient leurs instruments extrêmement au sérieux. À leurs côtés, le Chauffeur apprit qu'il fallait respecter ces petites machines, les nettoyer et les régler, il découvrit pourquoi certaines armes de poing étaient préférables à d'autres, leurs particularités et leurs inconvénients. Quelques participants, parmi les plus jeunes, avaient d'autres centres d'intérêt tels que les couteaux, la boxe ou les arts martiaux. Le Chauffeur, toujours curieux et avide d'apprendre, leur piqua aussi deux ou trois trucs, tout comme des années plus tard, il en pique-rait aux cascadeurs et aux combattants sur les tournages.

31

Il abattit Nino un lundi matin à six heures. La météo annonçait une belle journée, un mercure qui allait grimper jusqu'à vingt-huit degrés, quelques nuages en provenance de l'est, une probabilité de quarante pour cent de pluie dans la semaine. En pantoufles et fin peignoir de seersucker, Isaiah Paolozzi ouvrit la porte d'entrée de sa maison de Brentwood avec deux missions en tête. Ramasser le *Los Angeles Times* jeté dans l'allée. Mettre en route les arroseurs automatiques. Peu importait que chaque goutte d'eau projetée par ces arroseurs soit volée à d'autres ; c'était le seul moyen de transformer un désert en pelouse verdoyante.

Peu importait que la vie entière de Nino soit fondée sur le vol.

Quand il se pencha pour attraper le journal, le Chauffeur émergea du renfoncement près de la porte d'entrée. Il était là quand Nino se retourna.

Ils se regardèrent droit dans les yeux, sans ciller.

« Je vous connais ?

– On s'est parlé une fois, répondit le Chauffeur.

– Ah bon ? Et de quoi ?

– De trucs importants. Comme par exemple, quand un homme passe un marché, il doit s'y tenir.

– Désolé. Je ne me souviens pas de vous.

– Comme c'est étonnant. »

Un cercle parfait dessiné entre les sourcils, Nino recula en chancelant jusqu'à la porte d'entrée entrebâillée, qui s'ouvrit toute grande sous son poids. Ses jambes demeurèrent sur le perron. Elles étaient parcourues de veines variqueuses semblables à de gros serpents bleus. Il avait perdu une pantoufle dans sa chute. Ses orteils étaient aussi épais que des bouts de bois.

À la radio, quelque part dans la maison, un présentateur donnait des informations sur le trafic routier matinal.

Le Chauffeur posa la boîte contenant la spéciale poivrons, double ration de fromage, pas d'anchois, sur le torse de Nino.

La pizza sentait bon.

Pas Nino.

32

L'endroit était tel que dans son souvenir.

Partout dans le monde, songea-t-il, il existe des lieux semblables, des poches d'existence où rien ne change jamais beaucoup. Des flaques laissées par la marée descendante.

Incroyable.

M. Smith, supposa-t-il, était au travail, et Mme Smith assistait sans doute à l'une ou l'autre de ses réunions interminables. Église, conseil d'école, associations caritatives locales.

Il s'arrêta devant la maison.

Les voisins ne manqueraient pas de l'épier de derrière leurs fenêtres, écartant les lamelles des stores vénitiens, se demandant quel genre d'affaire un type au volant d'une Stingray classique pouvait bien traiter avec les Smith.

Ils virent un jeune homme descendre de la voiture, la contourner pour ouvrir la portière côté passager et récupérer une caisse de voyage pour chat ainsi qu'un sac marin fatigué. Il les posa tous les deux sur le perron, s'approcha de la porte et l'ouvrit quelques instants plus tard. Toujours sous le regard des voisins, il emporta caisse et sac à l'intérieur, pour ressortir presque aussitôt. Enfin, il remonta dans la Corvette et s'éloigna.

Il se souvenait de la façon dont se passaient les choses à l'époque – tout le monde se mêlant des affaires d'autrui, tous les secrets ébruités, chacun croyant détenir la vérité et prenant tous les autres pour des imposteurs.

En plus de la caisse pour chat et du sac marin, il avait laissé une note.

Elle s'appelle Miss Dickinson. Je ne peux pas dire qu'elle appartenait à un ami qui vient de mourir, puisque les chats n'appartiennent jamais à personne, mais ils ont tous les deux suivi le même chemin rocailleux, côte à côte, pendant longtemps. Elle mérite de passer les dernières années de sa vie dans une certaine sécurité. Vous aussi. S'il vous plaît, occupez-vous de Miss Dickinson comme vous vous êtes occupés de moi, et veuillez accepter cet argent dans l'esprit où il est offert. Je m'en suis toujours voulu d'avoir pris votre voiture en partant. Soyez sûrs que j'apprécie tout ce que vous avez fait pour moi.

33

Ça n'avait pas dû être facile pour son père. Le Chauffeur n'en gardait pas beaucoup de souvenirs, à vrai dire, mais même tout gosse, à l'aube de la vie, il avait senti que quelque chose clochait. Elle posait sur la table des œufs qu'elle avait oublié de faire cuire, ouvrait des boîtes de spaghettis et de sardines qu'elle mélangeait, servait une assiette de sandwichs oignons-mayonnaise. Pendant un temps, elle avait été obsédée par les insectes. Chaque fois qu'elle en voyait un ramper quelque part, elle le recouvrait d'un verre à eau et le laissait mourir. Puis (pour reprendre l'expression paternelle), elle avait « fréquenté » une araignée ayant tissé sa toile dans un angle de la minuscule salle de bains où elle se retirait tous les matins pour appliquer eyeliner, fond de teint, blush et autres fards constituant le masque sans lequel elle ne se risquait jamais au-dehors. Elle attrapait des mouches à la main et les lançait dans la toile, rôdait dehors le soir à l'affût de criquets ou de papillons de nuit destinés à connaître le même sort. La première chose qu'elle faisait en rentrant, chaque fois qu'elle quittait l'appartement, était d'aller voir comment se portait Fred. Car l'araignée avait même un nom.

La plupart du temps, quand elle adressait la parole à son fils, elle l'appelait juste « petit ». Tu as besoin d'aide pour tes devoirs, petit ? Tu as assez de vêtements, petit ? Tu aimes bien ces boîtes de thon que je sers pour le déjeuner, hein, petit ? Et les crackers ?

Non seulement elle n'avait jamais eu les pieds sur terre, mais elle avait dérivé de plus en plus jusqu'au moment où il s'était mis à la considérer comme affranchie des réalités, moins au-dessus du monde qu'à côté, à quelques pas de distance.

Puis, ce soir-là au dîner, le vieux avait craché du sang dans son assiette. Où gisait déjà un bout d'oreille semblable à un morceau de viande. Le Chauffeur, lui, était installé devant un sandwich pâté-gelée de menthe. Sa mère avait reposé les couteaux à pain et à viande en prenant soin de les aligner, maintenant qu'elle n'en avait plus l'utilité.

Je suis désolée, fiston.

S'agissait-il d'un vrai souvenir ? Auquel cas, pourquoi avait-il mis si longtemps à resurgir ? Sa mère avait-elle réellement prononcé ces mots ? Lui avait-elle réellement parlé ainsi ?

Souvenir ou pure création de l'imagination, peu importe, laisse le film se dérouler.

Je t'en prie.

Je n'ai sans doute fait que te compliquer la vie. Ce n'est pas ce que j'espérais… Les choses s'embrouillent tellement, parfois.

« Ne t'inquiète pas pour moi, ça va aller. Mais toi, m'man, qu'est-ce qui va t'arriver ? »

Rien qui ne se soit déjà produit. Le moment venu, tu comprendras.

Pure création de l'imagination. Il en était presque sûr.

Mais à présent, il aurait aimé pouvoir lui dire que, même si le temps avait passé, il ne comprenait toujours pas.

Et ne comprendrait jamais.

Dans l'intervalle, il avait ramené sa nouvelle voiture devant son dernier logement en date. Le Blue Flamingo Motel. Location de chambres à la semaine, pas grand-chose aux alentours, un vaste parking et un accès direct à l'autoroute et aux principales artères.

Une fois rentré, il se servit un demi-verre de Buchanan's. Rumeur de la circulation au-dehors, téléviseurs allumés dans les chambres voisines. Claquements, bruits de glissades et de rotations émis par des skates sur le parking, la piste d'entraînement élue par les gamins du quartier, apparemment. De temps à autre, vrombissement d'un hélicoptère de la police ou de la surveillance routière. Grondement des canalisations dans les murs chaque fois que les clients du motel se réveillaient et allaient prendre une douche ou se rendaient aux toilettes.

Il décrocha à la première sonnerie.

« J'ai entendu dire que c'était fait, déclara son interlocuteur.

– On ne peut plus fait.

– Et sa famille ?

– Pas encore levée.

163

— Mmm. Nino n'a jamais été un gros dormeur. Je lui ai dit que c'était la mauvaise conscience qui le taraudait. Il prétendait ne pas en avoir du tout. »

Un silence.

« Vous ne m'avez pas demandé comment je savais où vous trouver.

— Le scotch au bas de la porte, répondit le Chauffeur. Vous l'avez remis en place, mais ça ne recolle jamais bien, ce truc-là.

— Donc, vous vous doutiez que j'appellerais.

— Et rapidement, étant donné les circonstances.

— On est un peu pathétiques, tous les deux, non ? Avec toutes ces nouvelles technologies partout, nous, on en est encore à se fier à ces bons vieux morceaux de scotch.

— Un outil en vaut bien un autre, du moment qu'il remplit sa mission.

— C'est vrai, j'en sais quelque chose. J'ai moi-même été une espèce d'outil toute ma vie. »

Le Chauffeur garda le silence.

« Et merde. Votre boulot est terminé, pas vrai ? Nino est mort. C'est ce que vous vouliez, non ? Vous voyez une raison de continuer ?

— Pas nécessairement.

— Vous avez des projets pour ce soir ?

— Rien que je ne puisse ignorer.

— Parfait. Alors, voilà ce que je vous propose : on se retrouve pour boire un verre et peut-être dîner après.

— Ça me paraît faisable.

« – Vous connaissez le Warszawa ? Un restau polonais au croisement des boulevards Santa Monica et Lincoln ? »

Deux des rues les plus moches d'une ville qui en comptait beaucoup, des rues moches.

« Je trouverai.

– Sauf si vous préférez une pizza…

– Très drôle.

– Mouais. Remarquez, c'était plutôt marrant, tous ces tracts. Pour en revenir au restau – le Warszawa, vous vous rappellerez, hein ? – il partage son parking avec un magasin de moquette, mais pas de problème, les places ne manquent pas. Vers quelle heure ? Sept heures ? Huit ? Qu'est-ce qui vous arrange ?

– Sept heures, c'est bien.

– C'est petit, il n'y a pas de bar ni d'endroit où on peut attendre. Je serai à l'intérieur, à une table.

– Entendu.

– Il était temps qu'on se rencontre. »

Après avoir raccroché, le Chauffeur se servit encore quelques centimètres de Buchanan's. Il devait être près de midi, à présent, la plupart des bons citoyens de la ville avaient sûrement hâte d'envoyer promener boulot et obligations pour aller déjeuner ou se réfugier dans un parc de la taille d'un timbre-poste. Ils prendraient le temps de téléphoner à la maison, de voir comment allaient les gosses, de placer un pari auprès des bookmakers, de convenir d'un rendez-vous avec une maîtresse. Le motel était déserté. Quand la femme de ménage frappa à la porte, le Chauffeur répondit que tout allait bien, il n'avait pas besoin de ses services ce jour-là.

Il se souvenait encore de l'époque qui avait suivi son arrivée à Los Angeles. De toutes ces semaines à se battre pour rester à l'écart des rues, à l'écart des embrouilles, des requins, des vautours et des flics, à se battre juste pour rester en vie, pour garder la tête hors de l'eau. Tout n'était qu'angoisse, alors. Où allait-il habiter ? Comment subviendrait-il à ses besoins ? Les autorités de l'Arizona allaient-elles venir le chercher ? Il vivait, dormait et mangeait dans la Galaxie, les yeux allant de la rue aux toits et aux fenêtres proches, puis de la rue au rétroviseur et aux ombres dans les impasses.

Ensuite, une grande paix l'avait envahi.

Il avait ouvert les yeux un jour, et il l'avait sentie soudain en lui, présente, miraculeuse. Comme un ballon d'oxygène dans son cœur. Il avait acheté son double café habituel à l'épicerie du coin, puis s'était installé sur un muret bordé de haies parsemées d'emballages divers et de sacs en plastique avant de s'apercevoir soudain qu'il était assis là depuis près d'une heure sans penser à… à rien, en vérité.

Voilà à quoi font allusion les gens quand ils utilisent des mots tels que grâce.

Le souvenir de ce moment, de cette matinée tout entière, lui revenait clairement à l'esprit chaque fois qu'il y repensait. Mais bientôt, le doute s'était installé. Il comprenait trop bien que la vie était par définition trouble, mouvement, agitation. Par conséquent, tout ce qui allait à l'encontre ne pouvait pas être

166

la vie ; c'était quelque chose d'autre, forcément. Se retrouvait-il pris dans une variante de ce non-monde abstrait, sous-atmosphérique, où sa mère s'était consumée à petit feu ? Par chance, c'était à cette époque aussi qu'il avait connu Manny Gilden.

Ce soir-là, d'une cabine juste devant l'épicerie du coin, tout comme il l'avait fait des années plus tôt, il appela Manny. Une demi-heure plus tard, ils marchaient tous les deux au bord de la mer en direction de Santa Monica, à un jet de pierre du Warszawa.

« La première fois qu'on s'est rencontrés, dit le Chauffeur, quand j'étais encore un môme…

– Tu t'es regardé dans la glace, ces derniers temps ? T'es toujours qu'un foutu môme.

– … je t'ai raconté que j'avais trouvé la paix, que ça me flanquait les jetons. Tu te rappelles ? »

Un musée de la culture américaine en miniature, une capsule temporelle éventrée – emballages de hamburgers et de tacos, canettes de bière et de soda, préservatifs emmêlés, pages de magazines, vêtements – s'échouait sur le rivage à chaque nouvelle poussée des vagues.

« Je me rappelle. Tu sauras que seuls les plus chanceux d'entre nous sont capables d'oublier.

– T'es rudement sérieux.

– C'est une phrase du scénario sur lequel je bosse. »

Aucun d'eux ne reprit la parole pendant un moment. Ils avançaient le long de la plage, au milieu d'un autre monde populaire, animé, complètement différent, dont ils ne feraient jamais partie. Skaters, accros de la gonflette et mimes, armées de jeunes insouciants arborant divers piercings et tatouages, femmes superbes. Le dernier projet de Manny parlait de l'Holocauste et il pensait à Paul Celan : *Il y avait de la terre en eux, et ils creusaient.* En un sens, tous ces gens autour d'eux semblaient avoir gagné leur liberté en creusant.

« Je t'ai parlé de mon histoire sur Borges et don Quichotte, reprit Manny. Borges écrit sur l'esprit d'aventure, sur le chevalier partant sauver le monde…

— Même s'il ne s'agit que de quelques moulins à vent.

— … et de quelques cochons. Alors, il dit : "Le monde, malheureusement, est réel ; moi, malheureusement, je suis Borges." »

Ils étaient retournés au parking. Manny se dirigea vers une Porsche vert sapin et la déverrouilla.

« T'as une Porsche ? » s'étonna le Chauffeur. Bon sang, jamais il n'aurait même imaginé que Manny savait conduire. Vu la façon dont il vivait, dont il se fringuait… Sans compter cette fois où il lui avait demandé de l'emmener à New York.

« Pourquoi m'as-tu appelé, gamin ? Qu'est-ce que tu attendais de moi ?

— La compagnie d'un ami, je crois.

— Ça ne mange pas de pain.

— Et je voulais aussi te dire…

— Que tu es Borges. » Manny éclata de rire. « Bien sûr que c'est toi, imbécile. C'est pour ça que je t'en ai parlé.

— Oui. Maintenant, je comprends. »

34

Le magasin de moquette faisait des affaires.

Warszawa aussi.

C'était une maison typique des années vingt, probablement de style Craftsman, sans couloirs, avec des pièces en enfilade. Planchers au sol, grandes fenêtres à deux vantaux. Trois des pièces avaient été aménagées en salles à manger. La plus grande était divisée par un demi-mur. Dans la suivante, des portes-fenêtres donnaient sur une allée de briques bordée de volubilis. Dans la troisième, la plus petite, se tenait une réunion de famille. Des gens trapus, plus ou moins semblables, arrivaient les bras chargés de paquets enveloppés de papier cadeau.

Des rideaux de dentelle encadraient les fenêtres ouvertes. Il n'y avait pas de climatisation, ce n'était pas nécessaire si près de l'eau.

Bernie Rose était assis à une table d'angle dans la deuxième salle, près des portes-fenêtres, devant une bouteille de vin aux trois quarts pleine et un verre à moitié rempli. Il se leva à l'arrivée du Chauffeur. Les deux hommes se serrèrent la main.

Costume sombre, chemise grise habillée aux poignets boutonnés, pas de cravate.

« Un verre de vin, ça vous dirait pour commencer ? demanda Rose lorsqu'ils s'assirent. À moins que vous ne préfériez votre scotch habituel ?

– Le vin, c'est parfait.

– Vous avez raison, il est excellent. C'est étonnant ce qu'on trouve de nos jours. Chilien, australien… Celui-là provient d'un de ces nouveaux vignobles du Nord-Ouest. »

Bernie Rose fit le service. Ils trinquèrent.

« Merci d'avoir accepté le rendez-vous. »

Le Chauffeur hocha la tête. Une femme plus âgée, séduisante, parée de bijoux en argent et vêtue d'une minijupe noire découvrant ses jambes nues, sortit de la cuisine et se mit à circuler de table en table. Des bribes d'espagnol s'échappant de la porte derrière elle s'insinuèrent dans la salle. Le Chauffeur les entendait toujours quand son compagnon poursuivit :

« La propriétaire, disait-il. Je n'ai jamais su son nom, bien que je vienne ici depuis presque vingt ans. Dans cette tenue, elle n'a peut-être plus la même allure qu'à l'époque, mais… »

Elle avait surtout l'air parfaitement à l'aise dans sa peau, songea le Chauffeur, une qualité rare n'importe où dans le monde, et tellement remarquable dans une ville comme Los Angeles, toujours à la pointe de la mode, toujours en train de se réinventer, qu'elle pouvait presque paraître subversive.

« Je vous recommande le canard, enchaîna Rose. À vrai dire, je vous recommande tout. Ragoût du chasseur à la saucisse maison, chou rouge, oignons et bœuf. Pierogi, chou farci, roulés de bœuf, galettes de pomme de terre. Et le meilleur bortsch de la ville – servi froid quand il fait chaud dehors, chaud quand l'air fraîchit. Mais le canard est à se damner… »

« Canard, dit Bernie Rose quand Valerie, une serveuse aux jambes variqueuses, en âge d'être encore étudiante, s'approcha de leur table. Et la petite sœur de celle-là.

– L'assemblage cabernet-merlot, c'est ça ?

– Tout juste.

– Canard », fit le Chauffeur en écho. Avait-il déjà mangé du canard ?

D'autres personnes trapues chargées de paquets carrés continuaient d'affluer, pour être dirigées vers la troisième salle. Comment pouvaient-elles toutes loger là-dedans ? La propriétaire passa saluer les deux hommes, leur souhaiter bon appétit et leur demander de lui faire savoir personnellement s'ils avaient besoin d'autre chose, n'importe quoi.

Bernie Rose remplit leurs verres.

« Vous avez joué gagnant, observa-t-il. Et vous vous êtes taillé une sacrée réputation.

– Je n'ai rien demandé.

– On ne demande rien, en général, mais ça nous tombe dessus quand même. Après, ce qui compte, c'est ce qu'on en fait. » Les yeux fixés sur les autres convives, il avala une gorgée de vin. « Leur vie est un mystère pour moi, vous savez. Complètement impénétrable. »

Le Chauffeur approuva d'un mouvement de tête.

« Izzy et moi, on se connaissait depuis tellement longtemps que j'ai perdu le compte. On avait grandi ensemble.

– Désolé.

– Ne le soyez pas. »

En goûtant le canard, le Chauffeur ne regretta rien.

Ils mangèrent en se servant de temps à autre un verre du thé glacé additionné de citron que Valerie leur avait apporté dans un pichet.

« Alors, quelle est la prochaine étape pour vous ? demanda Bernie Rose.

– Difficile à dire. Retourner à mon ancienne vie, peut-être. Si je n'ai pas brûlé trop de ponts pour ça. Et vous ? »

Il haussa les épaules.

« Je pense repartir vers l'est. Je ne me suis jamais trop plu dans le coin, de toute façon.

– D'après un de mes amis, l'histoire de l'Amérique est avant tout celle d'une frontière qui recule. Si on la repousse jusqu'à son extrême limite, comme c'est le cas ici, au bout du monde, il ne reste rien, le serpent commence à se bouffer la queue.

– Sûr que le canard est meilleur. »

Malgré lui, le Chauffeur éclata de rire.

Alors qu'ils attaquaient la seconde bouteille de cabernet-merlot et la seconde manche de ce repas coûteux, au milieu des scènes de la vie ordinaire, ils accostèrent temporairement sur le genre d'île dont ils pouvaient prétendre faire partie.

« Vous croyez qu'on choisit sa vie ? lança Bernie Rose quand ils voguèrent vers le café et le cognac.

– Non. Mais je ne crois pas non plus qu'on nous l'impose. Mon sentiment, c'est qu'elle sourd en permanence sous nos pieds. »

Bernie Rose hocha la tête.

« La première fois que j'ai entendu parler de vous, on m'a dit que vous conduisiez, c'est tout.

– C'était vrai à l'époque. Les temps changent.

– Mais pas nous. »

Valerie leur apporta l'addition, que Bernie Rose insista pour régler. Puis ils sortirent sur le parking. Étoiles scintillantes dans le ciel. Le magasin de moquette fermait, des familles s'entassaient dans une flottille de camionnettes déglinguées, de Chevy décrépites, de Honda payées à prix d'or.

« Où est votre bagnole ?

– Par là », répondit le Chauffeur. Au fond du parking, à moitié dissimulée par un enclos pour les ordures. Bien sûr. « Alors comme ça, d'après vous, on ne change pas ?

– Non. On s'adapte, plutôt. On fait avec. À dix ou douze ans, tout est déjà plus ou moins joué, ce qu'on va être, le genre de vie qu'on va mener… C'est *celle-là*, votre bagnole ? »

Une Datsun des années quatre-vingt-dix, cabossée et privée d'un certain nombre de pièces telles que pare-chocs et poignées de portières, tachetée d'anti-rouille et de mastic.

« Je sais, elle ne ressemble pas à grand-chose. Mais nous non plus, au fond. Un de mes copains s'est fait une spécialité de les retaper. Au départ, ce sont de bonnes voitures. Quand il en a fini avec elles, elles rugissent.

– Il est chauffeur, lui aussi ?

– Il l'était, jusqu'à ce qu'il ait les deux hanches brisées dans un accident. Après, il a entrepris de démonter des bagnoles et de les remonter. »

Le parking était désert, à présent.

Bernie Rose tendit la main.

« Je suppose qu'on ne se reverra pas. Prenez soin de vous. »

Au moment où il lui tendait la main à son tour, le Chauffeur vit le couteau – ou du moins, aperçut le reflet de la lune sur la lame –, lorsque Bernie Rose, de sa main gauche, lui fit décrire un arc de cercle vers le haut.

Le Chauffeur lui donna un brusque coup de genou dans le bras, lui immobilisa le poignet et lui plongea la lame dans la gorge. Il avait frappé un peu trop au centre, à l'écart de la carotide et des principales artères, de sorte que la mort ne survint pas tout de suite, mais il avait détruit le pharynx et percé la trachée, à travers lesquels les derniers souffles de Bernie Rose rendirent un son sifflant. L'un dans l'autre, tout se passa relativement vite.

En voyant les yeux de Bernie Rose perdre leur éclat, il songea : *Voilà à quoi font allusion les gens quand ils utilisent des mots tels que grâce.*

Il poussa jusqu'à la jetée, traîna le corps de Bernie au bord de l'eau et s'en débarrassa. De l'eau nous sommes venus. À l'eau nous retournerons. La mer se retirait. Elle souleva le corps pour l'emporter tout doucement. Les lumières de la ville criblaient les flots.

Après, le Chauffeur reprit le volant et se laissa bercer par le grondement régulier et les vibrations de la Datsun autour de lui.

Il roula. Ce qu'il avait toujours fait. Et ferait toujours.

Relâchant l'embrayage, il sortit du parking de la plage pour s'engager dans la rue et pénétrer de nouveau dans le monde dont il avait atteint l'extrémité – moteur ronronnant en dessous de lui, clair de lune au-dessus, centaines et centaines de kilomètres à l'horizon.

Ce moment n'était pas la fin pour le Chauffeur, loin de là. Dans les années à venir, bien avant qu'il ne s'écroule à trois heures du matin dans un bar de Tijuana, bien avant que Manny Gilden ne fasse de sa vie un film, il y aurait d'autres tueries, d'autres corps.

Bernie Rose serait cependant le seul qu'il regretterait jamais.

Composition et mise en pages : FACOMPO, LISIEUX

Achevé d'imprimer en septembre 2011
par Novoprint (Barcelone)

Dépôt légal : septembre 2006

Imprimé en Espagne